5080 경험을 돈으로!

신바람 지식창업

안현숙 김상현 김영균 김형숙 손영숙 J정은 유경애 이증숙 정솝결 조은애

신바람 지식창업

발 행 일	2024년 08월 15일
지 은 이	안현숙 김상현 김영균 김형숙 손영숙 J 정은 유경애 이증숙 정솜결 조은애
편 집	권경민
디 자 인	김형숙
발 행 인	안현숙
발 행 처	행복누리캠퍼스(연구소)

출판등록	제 2023-000030호(2023년 7월 12일)
주 소	광주광역시 두리봉길 48, 3-101
대표전화	0507-1467-7884
홈페이지	www.happy0001.com
이 메 일	yeppys@hanmail.net
ISBN	979-11-984143-2-8

★5080 경험을 돈으로!★

신바람 지식창업

안현숙 김상현 김영균 김형숙 손영숙
J정은 유경애 이증숙 정솜결 조은애

행복누리캠퍼스

프롤로그

이 책은 다양한 배경을 가진 50대부터 70대까지의 사람들이 한데 모여 만든 공동의 작품입니다. 이 작품은 우리가 삶을 살아가며 가슴 깊이 간직하였던 감정들의 향연을 피워낸 결과물로, 그리워하였던 꿈들을 실현하기 위해 모이게 되었습니다. 글쓰기를 처음 시도하는 사람부터, 70세에 이르러 처음으로 독서 모임에 참여한 사람, 글쓰기에 대한 열정이 불타오르는 초보 작가들까지, 우리가 모두 각자의 능력과 생각, 그리고 일하는 방식이 다르지만, 공통의 목표로 글을 썼습니다.

우리의 이야기는 각자의 뜨거운 열정과 불굴의 의지, 그리고 끝없는 동기부여를 통해 탄생하였습니다. 바쁜 일정 속에서도 기한을 지키기 위해 노력한 모든 참여자에게 뜨거운 감사의 인사를 전하며, 이 작업 과정에서 도움을 준 모든 분께도 깊은 감사의 마음을 전합니다. 우리는 모두 이 책이 독자들에게 영감과 희망을 줄 수 있기를 진심으로 바랍니다.

이 책은 우리의 뜨거운 열정, 끊임없는 노력, 그리고 무한한 사랑이 담긴 작품입니다. 우리의 이야기는 늦깎이 천재 작가들의 펜 아래서 더욱 빛을 발할 것입니다. 저는 꿈을 실행으로 옮긴 이분들을 열정 천재라고 불러드립니다. 지금까지 함께 공동 저서를 집필하며 경험한 모든 순간은 저에게 놀라운 감동과 인생을 빛나게 하는 아름다운 순간들이었습니다.

 공동 저서를 집필하며 함께한 경험들은 새로운 인생의 도약점이 되리라는 확신이 있습니다. 우리는 각자의 열정과 의지를 공유하며 함께 나아가는 길이었습니다. 이 시간은 평생 잊지 못할 값진 순간들로 가득합니다. 책이 나오기까지 도움을 주신 모든 분에게 거듭 깊은 감사의 마음을 전합니다. 이 경험을 토대로 더욱 빛나는 인생을 만들어 나가겠다는 약속입니다. 우리의 마음과 노력이 책 속에 담겨, 더 많은 이들에게 긍정적인 영향을 끼칠 수 있기를 바랍니다. 함께 해주셔서 정말 감사합니다.

안현숙
발행인
행복누리캠퍼스연구소 대표

5080 경험을 돈으로

신바람 지식창업

안현숙 김상현 김영균 김형숙 손영숙
J 정은 유경애 이증숙 정솜결 조은애

삶의 지혜와 경험을 지식 자산으로 전환하여,
당신만의 신바람 나는 창업 여정을 시작하자!

행복누리캠퍼스(연구소)

안 현 숙

작가, 강사, 코칭, 컨설팅
yeppys1230@naver.com

경력

행복누리캠퍼스(연구소)대표,
행복누리캠퍼스출판사대표,
전)전남도립대 겸임교수 역임
2023 코리아문화예술대상
자랑스런한국인상 경제부문 일자리창출혁신대상
기능경기대회 심사위원역임
대한민국 기능장
한국어교원
사회복지사

저서
60에 시작한 억대연봉강사
힐! 머니가 온다 쌔 24권 저자

1장

63에서 100까지! 지식 창업멘토 퍼스널브랜딩

"자신을 알지 못하는 사람은 아무것도 이룰 수 없다."

- 소크라테스

지식 창업멘토 퍼스널브랜딩

"삶의 가장 멋진 장도, 시작도 바로 지금부터다." - 칼 바르트

- 63세, 새로운 브랜딩 여정의 시작

63세, 인생의 새로운 장을 열었다. 많은 사람이 은퇴를 고려하는 나이지만, 나는 퍼스널 브랜딩의 여정을 시작했다. 칼 바르트의 "삶의 가장 멋진 장도, 시작도 바로 지금부터"라는 말처럼, 나에게 63세는 새로운 시작의 시점이었다. 찰리 채플린에게 당신 작품 중 어떤 작품이 가장 좋다고 생각하느냐고 물으면 언제나 "다음 작품"이라고 했다. 나 역시 '지금'을 출발점으로 더 나은 작품을 만들기로 결심했다.

코로나19 팬데믹은 우리 모두에게 새로운 시작점을 제공했다. 나는 이 기회를 잡아 63세부터 퍼스널 브랜딩을 시작했다. 은퇴 후 편안한

삶을 포기하고, 새로운 도전에 나섰다. 퍼스널 브랜딩은 단순한 자기 홍보가 아닌, 삶과 가치를 재조명하는 과정이다. 나의 능력과 경험을 바탕으로 새로운 가치를 창출하고, 그 이해를 통해 나를 다른 사람들에게 효과적으로 설명할 수 있다.

퍼스널 브랜딩의 첫걸음은 자기 자신을 깊이 이해하는 것이다. 소크라테스는 "너 자신을 알라"라고 했다. 자신을 이해하는 것은 모든 브랜딩의 시작이다. 자기 인식은 더 나은 결정을 내리는 데 중요한 역할을 한다. 나는 책을 쓰고 강의를 하며, 내 전문성을 코칭, 컨설팅, 워크숍으로 전달했다. 이를 통해 단점을 보완하고 장점을 극대화하는 과정이 시작되었다.

사이먼 시넥은 "스타트 위드 와이"에서 '왜?'라는 질문의 중요성에 대해 강조했다. 이는 우리가 무엇을 하는지, 왜 그것을 하는지 명확히 이해하는 것이 중요하다는 뜻이다. 63세부터 시작한 퍼스널 브랜딩의 첫걸음은 나의 '왜?'를 찾는 과정이었다. 이를 통해 나는 새로운 가치를 창출하고, 사회적 가치를 전달할 수 있었다.

나는 63세에 책을 쓰기 시작했다. 나의 경험과 지식을 공유하며, 다른 사람들에게 영감을 주기 위해서였다. 강연을 통해 더 많은 사람에게 나의 이야기를 전할 수 있었다. 이러한 활동은 나의 가치를 높이고, 사회적 인지도를 올리는 데 큰 도움이 되었다.

퍼스널 브랜딩은 자신을 깊이 이해하고, 그 이해를 바탕으로 새로운 가치를 창출하는 과정이다. 나의 능력, 자질, 경험, 열정을 표현하며,

나만의 독특한 브랜드를 만들어 나가는 일이다. 이는 나를 독특하게 만들고, 그 독특함을 다른 사람들에게 효과적으로 전달할 수 있는 능력을 길러준다.

미국의 경제학자 피터 드러커는 "모든 성공의 비결은 자신이 무엇을 잘할 수 있는지 알아내고, 그것을 가능한 한 최선을 다해서 하는 것에 있다"라고 말했다. 이는 우리의 역량과 잠재력을 최대한 활용하여 자신만의 브랜드를 만드는 것이 중요하다는 것을 의미한다.

퍼스널 브랜딩은 네트워크를 구축하는 데도 필수적이다. 자신이 누구인지, 무슨 가치를 중요하게 생각하는지 세상에 보여주는 것이 핵심이다. 이를 통해 진정한 관계를 형성하고 네트워크를 확장할 수 있다. 스티브 잡스는 자신의 가치와 미션을 이해하고 이를 세상에 전달함으로써 애플을 세계적인 브랜드로 성장시켰다.

퍼스널 브랜딩은 시간과 노력이 필요하다. 자신을 깊이 이해하고, 그 이해를 바탕으로 가치를 창출하며, 이를 다른 사람들에게 효과적으로 전달해야 한다. 이러한 과정을 통해 우리는 자신만의 독특한 브랜드를 만들고, 사회적 가치를 창출할 수 있다.

결론적으로, 63세부터 시작된 나의 퍼스널 브랜딩 여정은 나를 깊이 이해하고, 그 이해를 바탕으로 새로운 가치를 창출하는 과정이다. 이를 통해 나는 나의 가치를 높이고, 사회에 이바지할 수 있었다. 퍼스널 브랜딩은 우리 모두에게 새로운 시작을 제공하며, 자신만의 독특한 브랜드를 만들어 나가는 중요한 활동이다. 이러한 과정은 우리의 삶을 풍요롭게 하고, 사회적 가치를 창출하는 데 큰 도움이 된다.

나의 여정이 독자들에게 영감을 주고, 그들 역시 자신만의 퍼스널 브랜딩을 시작하는 데 도움을 주기를 바란다. 63세라는 나이는 단지 숫자일 뿐, 새로운 시작을 위한 최고의 시점이다. 나의 이야기가 독자들에게 용기와 영감을 주어, 그들 역시 새로운 도전과 변화를 두려워하지 않기를 바란다. 퍼스널 브랜딩을 통해 우리는 모두 자신만의 독특한 가치를 창출하고, 사회에 긍정적인 영향을 미칠 수 있다.

- 나를 아는 것이 브랜딩이다.

퍼스널 브랜딩의 핵심은 자기 자신을 깊이 이해하는 데에서 시작한다. 소크라테스는 "너 자신을 알라"고 말했다. 이는 자신의 정체성과 가치를 이해하고 그 이해를 바탕으로 올바른 결정을 내리는 것이 중요하다는 뜻이다. 나를 알아가는 과정은 단순한 자기 홍보가 아니다. 이는 나의 능력, 경험, 열정을 재조명하고, 그것을 통해 새로운 가치를 창출해 나가는 여정이다.

삶은 계속되는 여정이다. 나는 63세에 지식창업을 시작한 후 3년이 지났다. 그동안 내 삶, 경험, 지식, 역량에 대해 깊이 생각하고 이해해 보았다. '할머니'라는 호칭이 싫어 '신 언니' 세대라 불리는 우리는, 이러한 과정을 통해 자신을 더 깊이 이해하게 되었다. 이해한 결과를 타인에게 효과적으로 전달하는 것, 이것이야말로 우리 자신만의 브랜드를 만들어 나가는 과정이다.

퍼스널 브랜딩은 나를 독특하게 만들고, 그 독특함을 다른 사람들에게 효과적으로 전달할 수 있는 능력을 길러준다. 예를 들어, 나는 책을 쓰고 강의를 하며, 내 전문성을 코칭, 컨설팅, 워크숍으로 전달했다. 이를 통해 단점을 보완하고 장점을 극대화하는 과정이 시작되었다. 미국의 자기 계발 전문가 토니 로빈스는 "우리는 자신의 장점을 활용하여 훌륭한 것을 만들어낼 수 있다"라고 말했다. 우리의 브랜딩을 만들어가는 과정에서, 우리의 장점을 잘 활용하고, 그것을 바탕으로 새로운 가치를 창출해 내는 것이 중요하다.

브랜딩 활동은 자기 인식에서 시작된다. 사이먼 시넥은 그의 책 "스타트 위드 와이"에서 '왜?'라는 질문을 던지는 것의 중요성을 강조했다. 이는 우리가 무엇을 하는지, 왜 그것을 하는지 명확히 이해하는 것이 중요하다는 뜻이다. 63세부터 시작한 퍼스널 브랜딩의 첫걸음은 나의 '왜?'를 찾는 과정이었다. 이를 통해 나는 새로운 가치를 창출하고, 사회적 가치를 전달할 수 있었다.

퍼스널 브랜딩은 네트워크를 구축하는 데도 필수적이다. 자신이 누구인지, 무슨 가치를 중요하게 생각하는지 세상에 보여주는 것이 핵심이다. 이를 통해 진정한 관계를 형성하고 네트워크를 확장할 수 있다. 스티브 잡스는 자신의 가치와 미션을 이해하고 이를 세상에 전달함으로써 애플을 세계적인 브랜드로 성장시켰다.

퍼스널 브랜딩은 시간과 노력이 필요하다. 자신을 깊이 이해하고, 그 이해를 바탕으로 가치를 창출하며, 이를 다른 사람들에게 효과적으로 전달해야 한다. 이러한 과정을 통해 우리는 자신만의 독특한 브랜드를 만들고, 사회적 가치를 창출할 수 있다. 이는 우리의 삶을 풍요롭게 하고, 사회에 긍정적인 영향을 미칠 수 있다.

결론적으로, 63세부터 시작된 나의 퍼스널 브랜딩 여정은 나를 깊이 이해하고, 그 이해를 바탕으로 새로운 가치를 창출하는 과정이다. 이를 통해 나는 나의 가치를 높이고, 사회에 이바지할 수 있었다. 퍼스널 브랜딩은 우리 모두에게 새로운 시작을 제공하며, 자신만의 독특한 브랜드를 만들어 나가는 중요한 활동이다. 이러한 과정은 우리의 삶을 풍요롭게 하고, 사회적 가치를 창출하는 데 큰 도움이 된다.

나의 여정이 독자들에게 영감을 주고, 그들 역시 자신만의 퍼스널 브랜딩을 시작하는 데 도움을 주기를 바란다. 63세라는 나이는 단지 숫자일 뿐, 새로운 시작을 위한 최고의 시점이다. 나의 이야기가 독자들에게 용기와 영감을 주어, 그들 역시 새로운 도전과 변화를 두려워하지 않기를 바란다. 퍼스널 브랜딩을 통해 우리는 모두 자신만의 독특한 가치를 창출하고, 사회에 긍정적인 영향을 미칠 수 있다.

노년기의 브랜딩 전략과 네트워크 구축

- 나이 들수록 퍼스널 브랜딩하라

우리 사회는 초고령화 시대를 맞이하였다. 이는 노년기가 새로운 시작이며, 퍼스널 브랜딩의 중요성을 강조하는 기회가 되었다. "삶의 가장 멋진 장은 항상 지금부터 시작된다"라는 말처럼, 지금부터 시작해도 아직 많은 시간이 남아 있다. 많은 경험과 지식을 가진 5080 전성기는 이를 기회로 삼아 자신의 가치를 재조명하고 사회에 전달해야 한다. 그렇게 함으로써 우리 세대가 이 사회에서 중요한 역할을 수행하고, 사회 전체의 발전에 이바지할 수 있었다.

5080 전성기가 퍼스널 브랜딩을 시작한다면, 장기적인 계획과 전략이 필요하다. 브랜딩은 단기간에 이루어지는 것이 아니라, 장기적인 관점에서 자신의 가치와 강점을 이해하고 이를 바탕으로 자신만의 브랜드를 만드는 것이 중요하다.

아인슈타인이 한 말처럼 "삶이란 자전거 타기와 같다. 균형을 잡으려면 움직여야 한다"라고 했다. 이는 5080 전성기에도 변화와 성장이 계속되어야 균형 잡힌 삶이라는 것을 말한다. 이러한 변화와 성장의 과정에서, 이 세대는 풍부한 경험과 지식을 바탕으로 자신만의 브랜드를 만들어 나가는 것이 중요하다.

미국의 저명한 경제학자 피터 드러커는 "모든 성공의 비결은 자신이 무엇을 잘할 수 있는지 알아내고, 그것을 가능한 한 최선을 다해서 하는 것에 있다"라고 말했다. 이는 우리 50대부터 80대가 가진 역량과 잠재력을 활용하여 자신만의 브랜드를 만드는 것이 그만큼 중요성을 강조한다.

전성기 즉 노년기의 브랜딩 전략은 퍼스널 브랜딩의 핵심이다. 이를 실현하기 위해, 책을 쓰는 것, 강의를 하는 것, 자신의 전문성을 바탕으로 컨설팅을 제공하는 것, 워크숍을 진행하는 것 등 다양한 방법을 활용할 수 있다.

5080 전성기에도 성장하고 삶의 의미를 찾을 수 있는 이러한 활동은 노년층이 사회적 가치를 창출하는 데 중요한 역할을 한다. 이들이 가진 풍부한 경험과 지식을 바탕으로 자신만의 브랜드를 만들어 나가는 과정에서, 사회에 크게 이바지할 수 있다.

한편, 이러한 브랜딩 활동은 개인의 단점을 강점으로 전환하고, 잠재력을 최대한 발휘하여 자신을 상승시키는 데 큰 도움을 준다. 일단 브랜딩을 하면 '나'라는 사람의 이미지나 인식을 개선할 수 있다. 그렇게 인지도를 올리면 사회적인 공증을 얻게 되어 몸값도 올릴 수 있다.

결론적으로, 5080 전성기의 퍼스널 브랜딩 전략은 장기적인 계획과 전략이 요구된다. 이를 통해 노년층은 자신의 가치를 재조명하고, 그 가치를 사회에 전달할 수 있다. 이를 위해 우리는 먼저 자신의 가치와 강점을 이해하고, 이를 바탕으로 자신만의 브랜드를 만들어야 한다. 이러한 과정을 통해 노년층이 사회에 여전히 중요한 역할을 수행하며, 사회 전체의 발전에 이바지할 수 있다.

- 퍼스널 브랜딩으로 네트워크를 구축하라

퍼스널 브랜딩은 단순한 자기 홍보가 아니다. 자신을 깊이 이해하고, 그 이해를 바탕으로 새로운 가치를 창출하는 과정이다. 노년기에도 퍼스널 브랜딩은 중요하다. 네트워크를 구축하고 확장하는 데 필수적이다. 자신이 누구인지, 무엇을 중요하게 생각하는지 세상에 보여주는 것이 핵심이다. 이를 통해 진정한 관계를 형성하고, 네트워크를 확장할 수 있다.

소크라테스는 "너 자신을 알라"고 말했다. 이는 퍼스널 브랜딩의 첫걸음이다. 자신을 깊이 이해하고, 자신의 강점과 약점을 파악해야 한다. 예를 들어, 자기 경력을 돌아보며 어느 순간에 가장 큰 성취를 이루었는지, 어떤 환경에서 가장 잘 일할 수 있는지를 생각해 보면 좋다. 이러한 자기 인식은 네트워크를 구축하는 데 큰 도움이 된다.

스티브 잡스는 자신의 가치와 미션을 이해하고 그것을 세상에 전달함으로써 애플을 세계적인 브랜드로 성장시켰다. 그는 "Stay hungry, stay foolish"라는 말로 자신을 계속해서 도전하게 했다. 우리도 마찬가지로, 퍼스널 브랜딩을 통해 우리의 가치를 세상에 전달하고, 네트워크를 확장할 수 있다.

네트워크 구축의 중요성을 간과해서는 안 된다. 네트워크는 단순히 많은 사람을 아는 것에 그치지 않는다. 진정한 네트워크는 신뢰와 공유된 가치를 바탕으로 형성된다. 미국의 경제학자 피터 드러커는 "모든 성공의 비결은 자신이 무엇을 잘할 수 있는지 알아내고, 그것을 가능한 한 최선을 다해서 하는 것에 있다"라고 말했다. 이는 자신의 역량과 잠재력을 최대한 활용하여 자신만의 브랜드를 만드는 것이 중요하다는 것을 의미한다.

찰리 채플린은 그의 가장 성공적인 작품을 "다음 작품"이라고 대답했다. 이는 항상 '지금'을 시작으로 더 나은 작품을 만들어내려는 의지를 보여준다. 네트워크를 구축하는 것도 마찬가지다. 현재의 관계를 바탕으로 더 나은 관계를 형성하려는 지속적인 노력이 필요하다.

네트워크 구축 전략을 살펴보자. 첫째, 진정한 관계를 형성해야 한다. 이는 시간을 투자하고 상대방의 가치를 이해하는 과정이다. 예를 들어, 강연이나 워크숍에서 다른 사람들과 만나 그들의 이야기를 듣는 것이 좋다. 둘째, 자신의 강점을 강조해야 한다. 독특한 특징과 가치를 효과적으로 전달하는 법을 배워야 한다. 셋째, 지속적인 학습과 성장이 필요하다. 퍼스널 브랜딩은 일회성이 아니다. '왜?'라는 질문을 통해 목적을 명확히 하고, 지속해서 노력해야 한다. 넷째, 온라인 플랫폼을 활용해야 한다. 링크드인 같은 사이트를 통해 전문성을 알리고 다른 전문가들과 연결될 수 있다.

예를 들어, 63세에 새로운 시작을 한 김 씨는 자기 경력과 경험을 바탕으로 책을 쓰기 시작했다. 그의 책은 많은 사람들에게 영감을 주었고, 강연 요청이 쇄도했다. 이를 통해 그는 더 많은 사람과 연결될 수 있었고, 그의 네트워크는 빠르게 확장되었다. 이러한 활동은 그의 가치를 높이고, 사회적 인지도를 올리는 데 큰 도움이 되었다.

또 다른 사례로, 정 씨는 은퇴 후 퍼스널 브랜딩을 시작하며 자신의 강점을 강조했다. 그는 오랜 경력에서 얻은 전문지식을 바탕으로 컨설팅 사업을 시작했고, 이를 통해 많은 기업과 연결되었다. 그의 컨설팅은 큰 호응을 얻었고, 그의 네트워크는 더욱 확장되었다.

퍼스널 브랜딩은 자신을 깊이 이해하고, 그 이해를 바탕으로 새로운 가치를 창출하며, 이를 다른 사람들에게 효과적으로 전달하는 과정이다. 이를 통해 우리는 자신만의 독특한 브랜드를 만들고, 사회적 가치를 창출할 수 있다. 퍼스널 브랜딩은 네트워크를 구축하는 데 필수적이다. 이를 통해 우리는 더 많은 사람과 연결되고 우리의 삶을 더욱 풍요롭게 만들 수 있다.

63세라는 나이는 단지 숫자일 뿐, 새로운 시작을 위한 최고의 시점이다. 퍼스널 브랜딩을 통해 우리는 모두 자신만의 독특한 가치를 창출하고, 사회에 긍정적인 영향을 미칠 수 있다. 이 글이 독자들에게 영감을 주고, 그들 역시 자신만의 퍼스널 브랜딩을 시작하는 데 도움이 되기를 바란다. 퍼스널 브랜딩은 당신에게 새로운 시야를 제공하고 당신의 삶을 더욱 풍요롭게 만드는 데 도움이 된다. 지금 당신이 해야 할 일은 당신의 가치를 찾아내고 그를 기반으로 당신만의 브랜드를 만들어가는 것이다. 이 과정을 통해 당신의 삶은 보다 풍요롭고 의미 있게 변화할 것이다. 이 변화는 또한 당신의 네트워크를 확장하고, 새로운 연결을 통해 당신의 삶에 더 많은 가능성을 가져다줄 것이다. 즉, 퍼스널 브랜딩은 필수이다.

- 5080 전성기의 소통은 퍼스널 브랜딩이다.

소통은 퍼스널 브랜딩의 핵심 요소이다. 브랜드를 만드는 과정에서 소통은 자신의 가치와 능력을 다른 사람에게 효과적으로 전달하는 능력을 의미한다. 단순히 강조하는 것이 아니라, 진정한 관계를 형성하는 것이다. 세계적인 소통 전문가 오프라 윈프리는 "소통은 정보를 전달하는 것이 아니라, 관계를 만드는 것"이라고 말했다. 이는 브랜딩 과정에서 자신의 가치와 능력을 어떻게 표현하는지가 아니라, 그것을 통해 어떤 관계를 만드느냐가 중요함을 의미한다.

퍼스널 브랜딩을 위한 소통의 가장 효과적인 방법의 하나는 스토리텔링이다. 고대부터 전해져 내려온 스토리텔링은 우리의 경험과 지식을 효과적으로 전달하는 데 강력한 도구이다. 인간은 이야기를 통해 공감하고, 연결되며, 기억한다. 따라서 자신의 이야기를 통해 타인에게 가치를 전달하는 것이 중요하다.

예를 들어, 김철수 씨는 60대에 은퇴 후 자기 경험과 지식을 바탕으로 컨설팅 회사를 창업했다. 그는 블로그와 소셜 미디어를 통해 자신의 도전과 실패, 그로부터 배운 교훈을 공유하며, 고객들에게 도움이 되는 구체적인 방법을 제시한다. 이러한 소통 방식은 그의 퍼스널 브랜딩을 강화하고, 신뢰를 형성하는 데 큰 역할을 한다.

또 다른 예로, 박영희 씨는 건강 관리와 관련된 지식을 바탕으로 온라인 강의를 시작했다. 그는 유튜브 채널을 통해 올바른 식습관, 운동법, 노년기의 건강 문제 등을 다루는 동영상을 제작하여 구독자들에게 유용한 정보를 제공한다. 이를 통해 그는 자신의 가치를 전달하고, 구독자들과 깊은 연결을 형성한다.

마지막으로, 김명자 씨는 자산 관리와 관련된 컨설팅 회사를 운영하고 있다. 그녀는 주기적으로 뉴스레터를 발송하여 최신 금융 정보와 자산 관리 팁을 제공하며, 소셜 미디어를 통해 실시간으로 고객들의 질문에 답하고, 피드백을 반영하여 서비스를 개선한다. 이러한 방식은 그녀의 퍼스널 브랜딩을 강화하고, 고객들과의 신뢰를 쌓는 데 큰 도움이 된다.

퍼스널 브랜딩을 위한 소통은 자신을 깊이 이해하고, 그 이해를 바탕으로 새로운 가치를 창출하는 과정이다. 피터 드러커는 "모든 성공의 비결은 자신이 무엇을 잘할 수 있는지 알아내고, 그것을 가능한 한 최선을 다해서 하는 것에 있다"라고 말했다. 이는 자신의 역량과 잠재력을 최대한 활용하여 자신만의 브랜드를 만드는 것이 중요하다는 것을 의미한다.

소통은 단순한 정보 전달을 넘어, 진정한 관계를 형성하는 데 초점을 맞추어야 한다. 이를 위해서는 자신의 가치와 능력을 효과적으로 표현하고, 타인과의 연결을 통해 신뢰를 쌓아야 한다. 디지털 시대에 다양한 온라인 플랫폼과 커뮤니티를 적극 활용하여, 지속적인 고객 유입을 끌어내는 것이 중요하다.

결론적으로, 5080 전성기의 소통은 퍼스널 브랜딩의 핵심이다. 자신의 가치와 능력을 효과적으로 전달하고, 이를 통해 진정한 관계를 형성하는 것이 중요하다. 이를 위해 스토리텔링을 활용하고, 다양한 온라인 플랫폼을 적극적으로 활용하여 브랜드를 강화하고, 신뢰를 형성해야 한다. 이러한 과정을 통해 우리는 자신만의 독특한 브랜드를 만들고, 사회적 가치를 창출할 수 있다. 퍼스널 브랜딩은 우리 모두에게 새로운 시작을 제공하며, 자신만의 독특한 가치를 창출하고, 사회에 긍정적인 영향을 미칠 수 있는 중요한 활동이다.

디지털 시대, 핵심 브랜딩 도구

- 5080 전성기와 디지털 마케팅, 브랜딩의 새로운 경로

디지털 시대에 5080 전성기 세대는 새로운 브랜딩의 경로를 찾고 있다. 과거의 경험과 지혜를 바탕으로 디지털 기술을 활용해 새로운 가치를 창출하고 있다. 디지털 마케팅과 브랜딩은 더 이상 젊은 세대만의 전유물이 아니다. 5080 전성기 세대도 이 도구들을 활용해 자신만의 독특한 브랜드를 만들어 나가고 있다.

디지털 마케팅은 온라인 플랫폼을 통해 개인의 가치를 효과적으로 전달하는 방법이다. SNS, 블로그, 유튜브 등 다양한 플랫폼을 통해 자신의 이야기를 공유하고, 이를 통해 신뢰를 쌓을 수 있다. 은퇴 후 새로운 도전을 시작한 63세의 박모 씨는 유튜브 채널을 통해 자기 경험과 지혜를 공유하며 많은 사람의 공감을 얻고 있다. 그의 채널은 단기간에 구독자 수가 급증하며, 디지털 마케팅의 힘을 실감하게

했다.

디지털 브랜딩은 자신을 깊이 이해하고, 그 이해를 바탕으로 새로운 가치를 창출하는 과정이다. 자신이 누구인지, 무엇을 잘할 수 있는지 명확히 알고, 이를 효과적으로 전달하는 것이 중요하다. 피터 드러커는 "모든 성공의 비결은 자신이 무엇을 잘할 수 있는지 알아내고, 그것을 가능한 한 최선을 다해서 하는 것에 있다"라고 말했다. 이는 우리의 역량과 잠재력을 최대한 활용하여 자신만의 브랜드를 만드는 것이 중요하다는 것을 의미한다.

5080 전성기 세대는 디지털 기술을 활용해 네트워크를 구축하고, 이를 통해 진정한 관계를 형성할 수 있다. 스티브 잡스는 자신의 가치와 미션을 이해하고 이를 세상에 전달함으로써 애플을 세계적인 브랜드로 성장시켰다. 이와 마찬가지로, 5080 세대도 자신이 누구인지, 무슨 가치를 중요하게 생각하는지 세상에 보여주는 것이 핵심이다.

디지털 마케팅과 브랜딩은 시간과 노력이 필요하다. 자신을 깊이 이해하고, 그 이해를 바탕으로 가치를 창출하며, 이를 다른 사람들에게 효과적으로 전달해야 한다. 이러한 과정을 통해 우리는 자신만의 독특한 브랜드를 만들고, 사회적 가치를 창출할 수 있다. 예를 들어, 50대의 이모 씨는 블로그를 통해 자신의 여행 경험을 공유하며, 이를 통해 많은 사람에게 영감을 주고 있다. 그의 블로그는 여행을 좋아하는 사람들에게 큰 인기를 끌며, 디지털 브랜딩의 좋은 사례가 되고 있다.

디지털 시대의 브랜딩 도구는 우리의 삶을 풍요롭게 하고, 사회적 가치를 창출하는 데 큰 도움이 된다. 우리는 디지털 기술을 활용해 자신을 깊이 이해하고, 그 이해를 바탕으로 새로운 가치를 창출하며, 이를 다른 사람들에게 효과적으로 전달할 수 있다. 이는 우리 모두에게 새로운 시작을 제공하며, 자신만의 독특한 브랜드를 만들어 나가는 중요한 활동이다.

결론적으로, 5080 전성기 세대는 디지털 마케팅과 브랜딩을 통해 새로운 경로를 찾고 있다. 디지털 기술을 활용해 자신의 가치를 효과적으로 전달하며, 이를 통해 사회적 가치를 창출하고 있다. 디지털 브랜딩은 자신을 깊이 이해하고, 그 이해를 바탕으로 새로운 가치를 창출하는 과정이다. 이를 통해 우리는 자신만의 독특한 브랜드를 만들고, 사회에 긍정적인 영향을 미칠 수 있다. 이러한 과정은 우리의 삶을 풍요롭게 하고, 사회적 가치를 창출하는 데 큰 도움이 된다.

이 글을 통해 독자들이 디지털 시대의 브랜딩 도구를 활용해 자신의 가치를 높이고, 사회에 긍정적인 영향을 미칠 수 있기를 바란다.

- 나를 마케팅하라: 내 안의 브랜드 가치 발견

퍼스널 브랜딩은 각자의 독특함을 발견하고 브랜드를 구축하는 과정이다. 이를 통해 우리는 세상에 가치를 창출할 수 있다.

핵심은 우리의 경험과 능력을 바탕으로 새로운 가치를 창출하고,

이를 효과적으로 알리는 것이다. 피터 드러커는 "사람들은 당신이 무엇을 한다는 것보다, 당신이 누구인지가 더 중요하다"라고 말했다.

스티브 잡스는 퍼스널 브랜딩의 모범 사례이다. 그의 스타일과 브랜드는 비전과 애플의 제품을 대중에게 강력하게 전달했다.

퍼스널 브랜딩은 새로운 시작을 제공한다. 5080세대인 액티브 시니어에게는 특히 중요하다. 그들은 경험과 지식을 공유하고자 한다.

예를 들어, 59세 김미자 씨는 산골에서 서점을 운영하며 자신의 브랜드를 만들었다.

퍼스널 브랜딩은 개인의 가치를 세상에 보여주는 도구이다. 이는 삶, 경험, 지식을 바탕으로 만들어진다.

삶의 가장 멋진 장도, 시작도 바로 지금부터라는 칼 바르트의 말이 가슴에 와닿는다. 찰리 채플린은 "다음 작품"이라고 대답했다.

코로나19 팬데믹 이후, 나는 63세에 퍼스널 브랜딩을 시작했다.

퍼스널 브랜딩은 능력과 경험을 바탕으로 가치를 창출하고, 이를 다른 사람들에게 효과적으로 전달하는 과정이다.

이 과정은 자신을 깊이 이해하고, 그 이해를 바탕으로 새로운 가치를 창출하는 것이다.

이해한 결과를 타인에게 효과적으로 전달하는 것이야말로 우리 자신만의 브랜드를 만드는 과정이다.

퍼스널 브랜딩은 소크라테스의 "너 자신을 알라"처럼 자신을 깊이 이해하는 것으로 시작된다.

퍼스널 브랜딩은 시간이 걸리며, 노력이 필요하다. 이를 통해 우리는 독특한 브랜드를 만들고, 사회적 가치를 창출할 수 있다.

결론적으로, 퍼스널 브랜딩은 자신을 깊이 이해하고, 새로운 가치를 창출하는 과정이다. 이를 통해 우리는 사회에 이바지할 수 있다.

나의 여정이 독자들에게 영감을 주어, 그들 역시 퍼스널 브랜딩을 시작하는 데 도움을 주기를 바란다. 63세는 새로운 시작을 위한 최고의 시점이다.

- 5080 전성기, 퍼스널 브랜드로 새로운 비즈니스 시대를 연다!

5080 전성기 세대는 디지털 시대에서 새로운 비즈니스 기회를 창출할 수 있는 놀라운 잠재력을 가지고 있다. 많은 사람이 은퇴를 고려하는 나이지만, 이 세대는 오히려 새로운 도전과 변화를 통해 자신의 가치를 재발견하고 사회에 이바지할 수 있는 시기이다. 특히 퍼스널 브랜딩은 이러한 변화를 끌어낼 수 있는 강력한 도구이다.

퍼스널 브랜딩은 단순한 자기 홍보가 아니라, 자신을 깊이 이해하고 그 이해를 바탕으로 새로운 가치를 창출하는 과정이다. 소크라테스의 "너 자신을 알라"는 명언처럼, 자신을 이해하는 것은 모든 브랜딩의 시작이다. 이 과정에서 자기 능력, 자질, 경험, 그리고 열정을 표현하며, 자신만의 독특한 브랜드를 만들어 나갈 수 있다.

5080세대는 오랜 경험과 풍부한 지식을 가지고 있어서, 이를 바탕으로 한 퍼스널 브랜딩은 강력한 힘을 발휘할 수 있다. 예를 들어, 한 기업의 CEO로서 오랫동안 쌓은 경영 노하우를 바탕으로 컨설팅 사업을 시작할 수 있다. 이러한 사례는 자신의 가치를 높이고, 사회적 인지도를 올리는 데 큰 도움이 된다.

사이먼 시넥의 "스타트 위드 와이"에서 강조된 것처럼, 우리는 '왜?'라는 질문을 명확히 이해해야 한다. 5080 세대가 퍼스널 브랜딩을 시작할 때, 자신의 '왜?'를 찾는 과정은 매우 중요하다. 이를 통해 우리는 자신이 무엇을 하는지, 왜 그것을 하는지 명확히 이해하고, 새로운 가치를 창출할 수 있다.

예를 들어, 한 60대의 은퇴한 교수가 자신의 학문적 연구와 교육 경험을 바탕으로 온라인 강의를 시작했다. 그는 자신의 지식을 공유하며 다른 사람들에게 영감을 주고, 자신의 가치를 높이는 동시에 사회에 긍정적인 영향을 미쳤다. 이러한 활동은 퍼스널 브랜딩의 좋은 예시이다.

또한, 퍼스널 브랜딩은 네트워크를 구축하는 데도 필수적이다. 자신이 누구인지, 무슨 가치를 중요하게 생각하는지 세상에 보여주는 것이 핵심이다. 이를 통해 진정한 관계를 형성하고 네트워크를 확장할 수 있다. 스티브 잡스는 자신의 가치와 미션을 이해하고 이를 세상에 전달함으로써 애플을 세계적인 브랜드로 성장시켰다.

퍼스널 브랜딩은 시간과 노력이 필요하다. 자신을 깊이 이해하고, 그 이해를 바탕으로 가치를 창출하며, 이를 다른 사람들에게 효과적으로 전달해야 한다. 이러한 과정을 통해 우리는 자신만의 독특한 브랜드를 만들고, 사회적 가치를 창출할 수 있다.

미국의 경제학자 피터 드러커는 "모든 성공의 비결은 자신이 무엇을 잘할 수 있는지 알아내고, 그것을 가능한 한 최선을 다해서 하는 것에 있다"라고 말했다. 이는 우리의 역량과 잠재력을 최대한 활용하여 자신만의 브랜드를 만드는 것이 중요하다는 것을 의미한다.

퍼스널 브랜딩은 자신을 깊이 이해하고, 그 이해를 바탕으로 새로운 가치를 창출하는 과정이다. 나의 능력, 자질, 경험, 열정을 표현하며, 나만의 독특한 브랜드를 만들어 나가는 일이다. 이는 나를 독특하게 만들고, 그 독특함을 다른 사람들에게 효과적으로 전달할 수 있는 능력을 길러준다.

결론적으로, 5080 전성기 세대는 퍼스널 브랜딩을 통해 새로운 비즈니스 시대를 열 수 있는 놀라운 잠재력을 가지고 있다. 이 여정은 자신을 깊이 이해하고, 그 이해를 바탕으로 새로운 가치를 창출하는 과정이다. 이를 통해 우리는 자신만의 독특한 브랜드를 만들고, 사회에 긍정적인 영향을 미칠 수 있다. 퍼스널 브랜딩은 우리 모두에게 새로운 시작을 제공하며, 자신만의 독특한 가치를 창출하고, 사회에 긍정적인 영향을 미치는 중요한 활동이다.

5080세대의 퍼스널 브랜딩 여정은 단순한 자기 홍보가 아니라, 삶과 가치를 재조명하는 과정이다. 이를 통해 우리는 자신을 깊이 이해하고, 그 이해를 바탕으로 새로운 가치를 창출하며, 사회에 긍정적인 영향을 미칠 수 있다. 이러한 과정은 우리의 삶을 풍요롭게 하고, 사회적 가치를 창출하는 데 큰 도움이 된다.

나의 여정이 독자들에게 영감을 주고, 그들 역시 자신만의 퍼스널 브랜딩을 시작하는 데 도움을 주기를 바란다. 63세라는 나이는 단지 숫자일 뿐, 새로운 시작을 위한 최고의 시점이다. 독자들이 새로운 도전과 변화를 두려워하지 않기를 바란다. 퍼스널 브랜딩을 통해 우리는 모두 자신만의 독특한 가치를 창출하고, 사회에 긍정적인 영향을 미칠 수 있다.

김상현

작가
상현달동화 백만장자대표
chance123452@gmail.com
갤러리k 아트딜러 대표.
한국AI아트작가
(현) 색동회 이사

경력

코리안투데이 시민기자
AI 활용전문가 2급
디자인씽커 1급
제20-8483호 행정안전부 장관상수상 (2020년)
색동회 동화구연 연구회 봉사상 수상
AI 아트 전시 (청담동)
놀이체육지도사1급
미술교육지도사1급
손유희지도사1급
노인미술지도사1급
하브루타전문가 자격증2급
체인지메이커1급

저서
그대는 무엇을 찾고 있나요
삶의 가치를 움틔우다 외

2장

맛있는 건강, 지금 바로 접시에 담다.
건강 밥상 차리는 1인 지식 창업 가이드

좋은 음식은 좋은 삶을 만들고, 지식 창업은
새로운 기회를 만든다

나만의 밥상으로 1인 지식 창업의 매력

"성공이란 자신이 좋아하는 일을 하고, 그것을 잘하는 것이다." -데이비드 브링클리

- 1인 지식 창업과 건강한 음식: 왜 지금 시작해야 할까?

현재, 사람들의 건강에 관한 관심은 과거보다 훨씬 더 높아졌다. 특히 50대 이상의 고령 세대는 맛있는 음식뿐만 아니라 건강에 이로운 음식을 선호한다. 그들의 세심한 식사 선택은 '1인 지식 창업'의 가능성을 높인다.

'1인 지식 창업'은 개인의 지식과 능력을 활용하여 창업하는 것을 의미한다. 건강한 음식에 대한 지식을 가진 사람은 자신의 지식을 바탕으로 건강한 음식을 제공하는 서비스를 개발할 수 있다. 이는 현재 건강에 대한 사회적 관심이 높아진 만큼 큰 성공을 거둘 좋은 기회이

다.

최근에는 1인 가구가 증가하면서 편리하고 건강한 식사에 대한 수요도 증가했다. 바쁜 일상에서 건강한 음식을 제공하는 서비스를 찾는 사람들이 많아, 이는 1인 지식창업자에게 큰 기회를 제공한다.

온라인 플랫폼의 발달로 1인 지식 창업의 기회는 더욱 확대되었다. SNS, 블로그, 유튜브 등의 플랫폼을 통해 건강한 식재료를 판매하고, 건강 요리 강좌를 개최하고, 건강한 식생활 컨설팅을 제공하는 등 다양한 방식으로 1인 지식 창업을 시작할 수 있다.

그러나 이런 기회를 잡기 위해서는 준비가 필요하다. 이 책은 건강한 음식에 대한 기본 지식부터, 나에게 맞는 건강 밥상 설계 방법, 그리고 1인 지식 창업을 위한 실용적인 전략 등을 제공한다. 흔히 기회는 준비가 되어 있는 사람에게만 찾아온다고 한다. 기회는 이미 여기에 있다. 이제는 그 기회를 잡기 위한 행동만이 남아 있다.

건강한 음식에 대한 지식을 바탕으로 1인 지식 창업을 시작해 보자. 이 책은 그 시작을 위한 가장 좋은 도구가 될 것이다. 건강한 식사를 위한 조언을 제공하는 블로그를 운영하거나, 온라인 쇼핑몰을 통해 건강한 식재료를 판매하는 등의 방법으로 창업을 시작하면, 자기 삶뿐 아니라 다른 사람들의 삶도 건강하고 풍요롭게 만드는 데 이바지할 수 있다. 지금 바로 시작해 보자.

- 맛있는 건강, 나만의 밥상으로: 1인 지식 창업의 가능성

"맛있는 건강, 나만의 밥상으로"의 주제는 단순히 맛있는 식사를 즐기는 것 이상의 의미가 있다. 우리는 건강한 음식을 통해 건강을 챙기고, 삶의 질을 향상하게 된다. 건강한 식사의 가치를 인식하고 실천하는 사람들이 점차 늘어나는 현재, 이는 '1인 지식 창업'의 가능성으로 바라볼 수 있다.

'1인 지식 창업'은 개인의 지식과 능력을 바탕으로 창업하는 것이다. 건강한 음식에 대한 지식을 가진 사람들은 건강한 음식을 제공하는 서비스를 개발하고 운영할 기회가 있다. 이는 현재 건강에 대한 사회적 관심이 높아진 만큼 큰 성공을 이룰 좋은 기회다.

건강한 음식 레시피를 공유하는 블로그를 운영하거나, 유튜브 채널을 통해 건강 요리 강좌를 개최하는 등 다양한 방식으로 창업을 시작할 수 있다. 온라인 상점을 통해 건강한 식재료를 판매하거나, 농장을 직접 방문하여 신선하고 안전한 식재료를 공급하는 방법도 있다.

그러나, 이러한 다양한 업무는 팀의 능력을 초과할 수 있다. 이 문제를 해결하기 위해, 팀의 역량을 정확히 파악하고, 업무 분배를 적절히 해야 한다. 창업 초기에는 핵심적인 업무에 집중하고, 나머지 업무는 점차 확장하는 것이 바람직하다.

'1인 지식 창업'을 통해 건강한 밥상을 세우는 것은, 단순히 경제적 이익을 얻는 것 이상이다. 이를 통해 건강한 식생활의 중요성을 널리 알릴 수 있으며, 우리 모두의 삶의 질을 향상할 수 있다.

그래서, 이제는 우리가 모두 '맛있는 건강, 나만의 밥상으로'의 주인공이 될 때이다. 어떤 사람도, 어떤 상황에서도, 언제든지 이런 기회를 잡을 수 있다. '맛있는 건강, 나만의 밥상으로'라는 주제로 시작한 이 이야기가 여러분께 새로운 기회를 제공하길 바란다.

1인 지식 창업의 성공은 그 누구도 단정할 수 없는 미지의 영역이다. 그러나, 우리는 이런 불확실성 속에서도, 우리의 지식과 능력을 바탕으로 새로운 가능성을 창출할 수 있다. 이것이 바로 '1인 지식 창업'의 가치와 매력이다. 이제는 여러분이 그 주인공이 될 차례이다.

기초부터 시작하는 건강 밥상

- 나에게 맞는 식단 설계: 개인 맞춤형 건강 밥상

'개인 맞춤형 건강 밥상'은 나에게 맞는 식단을 설계하는 방법을 다룬다. 건강한 식사란 단순히 칼로리를 줄이거나 지방을 적게 하는 것이 아니다. 개인의 나이, 성별, 활동량, 건강 상태 등을 고려해서 식단을 설계해야 한다.

50대 이상 시니어분들을 예로 들면, 고혈압이나 당뇨, 심장질환과 같은 만성 질환을 가질 수 있다. 이런 분들에게는 나트륨 섭취를 줄이고, 당류를 조절하는 식단이 필요하다. 또한, 알레르기나 식품 불내증 등 개인적인 특성을 반영하여, 알레르기를 일으키는 음식을 배제하거나, 소화가 잘되는 음식을 선호하는 식단을 구성해야 한다.

이렇게 다양한 요소를 고려하여 식단을 설계하는 것은 쉽지 않다.

팀의 능력을 초과하는 업무 부담을 초래할 수 있기 때문이다. 이런 문제를 해결하기 위한 하나의 방법은 '진행 중인 업무의 우선순위 설정'이다.

프랭클린 코베이의 명언 "중요하지 않으나 긴급한 일보다 중요하고 긴급하지 않은 일에 먼저 시간을 사용하라"는 이 원칙을 잘 설명해 준다. 개인의 식사 습관을 파악하고, 이를 바탕으로 식단을 설계하는 업무가 가장 중요하다면, 이 업무에 먼저 집중해야 한다. 그다음은 알레르기나 식품 불내증 등 개인적인 특성을 반영한 식단 설계가 이어진다. 마지막으로는 좋아하는 음식과 싫어하는 음식을 고려한 식단 설계를 진행한다.

이렇게 업무의 우선순위를 설정하고, 중요한 업무에 집중함으로써 팀의 능력을 초과하는 업무 부담을 줄일 수 있다. 이는 팀의 작업 효율성을 높이고, 프로젝트의 성공 가능성을 높이는 데 큰 도움이 된다.

마지막으로, 개인 맞춤형 건강 밥상을 성공적으로 설계하고 이를 실천함으로써 건강한 생활을 실천하고, 더 나아가 건강한 생활 방식을 널리 전파하는 데 이바지할 수 있다. 이는 바로 이 책이 제공하고자 하는 가장 큰 가치이며, 이를 통해 우리가 모두 건강한 생활의 주인공이 될 수 있다.

- 건강한 식재료 선택: 맛과 영양을 동시에 충족하는 방법

건강한 식사를 위해 식재료 선택은 중요하다. 맛과 영양을 동시에

충족하는 식재료를 고르는 것이 바람직하다. 신선하고 안전한 식재료를 선택하는 것이 기본이며, 제철 식재료를 활용하는 것이 좋다. 이유는 제철 식재료가 가장 신선하고 영양소가 풍부하기 때문이다.

유기농 또는 무농약 식품을 고려하는 것이 좋다. 이러한 식품들은 화학적 물질이나 합성 비료를 사용하지 않아 건강에 더 이롭다. 반면, 가공식품과 인스턴트식품은 첨가물이 들어 있을 가능성이 높으므로, 가능한 한 자제하는 것이 바람직하다.

하지만 건강한 식재료 선택의 과정이 팀의 능력을 초과하게 되면 문제가 생긴다. 여러 업무를 동시에 처리하려다 보면 스트레스를 받게 되고, 업무 효율이 떨어질 수 있다. 이는 창업의 성공 가능성을 저해할 수 있으므로 주의가 필요하다.

이 문제를 해결하려면 중요한 일부터 차근차근 처리해 나가는 것이 중요하다. 건강한 식재료를 선택하는 업무를 시작할 때는 식재료의 영양소와 안전성을 확인하는 것이 우선이다. 이는 식품의 영양성분, 식품 안전 관련 뉴스와 연구, 그리고 식품에 대한 논문과 연구를 확인하는 것이 필요하다.

다음 단계로는 식재료의 맛과 질감, 조리법 등을 고려하게 된다. 식재료를 직접 시식하고, 요리 전문가들에게 조언을 구하며, 다양한 요리 방법을 시도해 보는 것이 필요하다. 이 과정을 통해 맛과 영양을 동시에 충족하는 건강한 식재료를 선택하는 방법을 익힐 수 있다.

스티브 잡스가 말한 "많은 사람이 성공한 원인은 기회를 기다리는 것이 아니라, 기회를 만들어 나갔기 때문이다"라는 말처럼 이 책은 바로 그런 기회를 만들어가는 도구가 될 수 있다. 이 책을 통해 건강한 식재료 선택에 대한 지식을 습득하고, 이를 바탕으로 창업을 시작할 수 있다.

'1인 지식 창업'의 가치와 매력은 바로 이에 있다. 이 책을 통해 건강한 식사를 위한 조언을 제공하는 블로그를 운영하거나, 온라인 쇼핑몰을 통해 건강한 식재료를 판매하는 등의 방법으로 창업을 시작할 수 있다. 이것이 바로 성공의 첫걸음이다.

- 간단하고 맛있는 건강 레시피: 시간을 절약하는 요리법

"간단하고 맛있는 건강 레시피: 시간을 절약하는 요리법"이라는 주제는 건강한 식사의 중요성을 강조한다. 요리는 기본적인 기술에 의존하며, 이를 통해 건강하고 맛있는 음식을 만들 수 있다. 간편한 레시피를 활용하면, 바쁜 일상에서도 건강한 식사를 즐길 수 있다.

남은 음식을 활용하는 방법을 배워 식품 낭비를 줄이는 것도 중요하다. 이는 건강을 챙기면서도 지속 가능한 생활 방식을 실천하는 데 도움이 된다. 또한, 배달 음식 대신 직접 요리하는 습관을 기르는 것이 건강한 식사를 위한 중요한 요소다.

이러한 요리법은 간단하나, 그 중요성은 크다. 건강한 식사를 위해 필요한 것은 한 가지 일에 집중하고, 그 일을 잘 마친 후 다음 일로

넘어가는 것이다. 예를 들어, 건강한 음식에 대한 블로그를 운영하고 싶다면, 가장 중요한 주제에 먼저 집중하는 것이 좋다. 이렇게 하면 블로그의 품질을 높일 수 있고, 독자들에게 독특한 가치를 제공할 수 있다. 그런 다음, 그 주제를 충분히 다룬 후에 다음 주제로 넘어가는 것이다.

이러한 방식은 진행 중인 업무를 효과적으로 관리하고, 건강한 식사를 위한 노력을 지속할 수 있게 해준다. 그 결과, 건강한 식사와 쾌적한 생활을 누릴 수 있다.

마이클 조던이 말했듯이, "나는 실패했기 때문에 성공했다." 실패는 성공의 발판이다. 처음에는 실패할 수도 있지만, 그 실패를 통해 더 나은 방법을 배우고, 결국에는 성공을 거둘 수 있다.

이 책은 그 방법을 제공한다. 이 책을 통해, 건강하고 맛있는 음식을 만드는 방법을 배울 수 있고, 그 방법을 통해 건강과 삶의 질을 향상할 수 있다. 그리고 이를 통해, 미래의 지배자가 될 수 있다.

1인 지식 창업을 위한 실용적인 전략

- 1인 지식 창업 기획: 나만의 비즈니스 모델 찾기

지식을 활용한 1인 창업은 흥미로운 여정이라고 할 수 있다. 특정 분야에 대한 깊은 지식이 있으면, 이를 활용하여 새롭고 독특한 서비스나 제품을 만들어내는 아이디어를 구상할 수 있다. 예를 들어, 건강한 음식에 대한 지식을 가진 사람은 온라인 쇼핑몰에서 건강한 음식 판매, 블로그를 통한 건강한 요리법 공유, 영양 상담이나 다이어트 컨설팅 서비스 등의 비즈니스를 시작할 수 있다.

창업 아이디어를 생각하는 것은 쉽지 않지만, 자신의 지식과 경험, 그리고 독특한 아이디어를 바탕으로 창업을 시작하면, 그것이 바로 1인 지식 창업의 시작이다. 그러나 그 아이디어를 실현하기 위해서는 구체적이고 실용적인 계획이 필요하다.

1인 지식 창업을 준비하는 과정은 어려울 수 있지만, 그 과정을 통해 큰 성취감을 느낄 수 있다. 자신의 지식과 경험, 창의력이 결합한 독특한 비즈니스 아이디어로 성공적인 창업을 이루는 그날을 기다리며, 여러분의 창업 도전을 응원한다.

1인 지식 창업의 계획 수립은 성공적인 창업의 핵심이라고 할 수 있다. 이 과정에서는 자신의 강점, 열정, 경험을 활용하여 독특하고 창의적인 비즈니스 아이디어를 개발하며, 이 아이디어 개발 과정은 타겟 고객, 경쟁 상황 분석 등으로 사업 계획을 수립하는 데 필수적이다.

창업 초기에는 업무 부하를 줄이기 위해 핵심적인 업무에만 집중하는 것이 중요하다. 업무를 충분히 숙달한 후에 다음 단계로 나아가는 것이 바람직하다.

건강한 음식에 대한 지식을 활용하면 자신만의 비즈니스를 성공적으로 시작하고 운영할 수 있다는 것은 개인의 경제적 이익뿐만 아니라, 건강한 식생활의 중요성을 사회에 널리 알리는 중요한 일이기도 하다는 것을 명심해야 한다.

- 1인 지식 창업을 위한 실용적인 전략

1인 지식 창업은 개인의 지식과 능력을 활용하여 창업하는 것이다. 이를 위한 전략은 블로그 운영, 유튜브 채널 제작, SNS 활용, 이메일 마케팅 등이 있다.

블로그는 유익한 콘텐츠를 제공하고 독자를 모으는 데 효과적이다. 그러나 이를 위해선 신중한 계획과 지속적인 노력이 필요하다. 유튜브는 건강한 음식에 대한 영상을 제작하고 공유하면서 독자의 관심을 끌수 있다.

SNS는 브랜드 인지도를 높이고 확장하는 데 도움이 된다. 인스타그램이나 페이스북과 같은 SNS를 통해 다양한 콘텐츠를 공유하고, 독자와 소통하여 브랜드 충성도를 높일 수 있다. 이메일 마케팅은 소식지를 통해 고객과의 관계를 강화한다. 이메일을 통해 신제품 정보, 특별 이벤트, 유익한 정보를 제공하며 고객과의 관계를 유지하게 된다.

성공적인 전략 실행을 위해서는 현재 진행 중이거나 계획된 업무를 신중하게 관리해야 한다. 한 번에 너무 많은 업무를 처리하려는 유혹에 빠지면, 팀의 능력을 초과하게 되며, 이는 스트레스 증가와 효율성 저하를 초래한다.

창업 초기에는 핵심 업무에 집중하고, 나머지 업무는 점차 확장해 나가는 것이 바람직하다. 이런 방식으로 1인 지식 창업을 성공적으로 시작하고 운영하면, 개인의 삶뿐만 아니라 다른 사람들의 삶도 풍요롭게 만드는 데 이바지할 수 있다. 이것이 1인 지식 창업의 가치와 매력이다.

스티브 잡스의 명언 "점을 연결할 수 있는 것은 뒤돌아보며 다음에는 아니다"를 생각하면, 실패는 성공의 중요한 교훈이다. 이 교훈을 이해하고 적용하여, 건강한 음식과 1인 지식 창업의 세계로 나아갈 수 있다. 이 과정에서 건강한 생활 방식을 다른 사람들에게도 전파하는 데에 이바지할 수 있다.

- 오프라인 활동: 강좌, 워크숍, 이벤트 등

'1인 지식 창업'은 개인의 전문성을 활용하여 창업하는 전략이다. 특히, 이 중 '오프라인 활동'은 매우 중요한 역할을 한다. 이는 직접적인 상호작용을 통해 사람들에게 유익한 정보를 전달하는 방식이다.

50대 이상의 고령 세대를 대상으로 한 건강한 식재료 선택과 요리법에 대한 강좌는 이에 대한 훌륭한 예시이다. 이 강좌에서는 다양한 곡물 요리법, 건강식 조리법, 그리고 시즌별 신선한 식재료 활용법 등을 깊이 있게 다룬다. 또한, 건강한 식생활에 대한 정보를 제공하는 워크숍도 운영할 수 있다. 이런 워크숍에서는 식품 영양소와 그 효능, 건강한 식품 조합법, 올바른 식사 방법과 음식 섭취 순서 등을 전문적으로 다룬다.

팝업 이벤트나 시식회를 통해 잠재적인 고객과 직접 소통하며 건강한 식생활을 널리 확산시키는 활동도 중요하다. 팝업 카페를 운영하거나, 음식 시식회를 통해 건강식을 소개하는 방법도 효과적이다.

그러나 이런 활동들이 많아지면서 팀의 능력을 초과하는 문제에 직면할 수 있다. 이를 해결하기 위해선 팀의 역량을 정확히 파악하고, 업무를 적절하게 분배하는 것이 중요하다.

블로그를 통해 건강한 음식에 대한 정보를 제공하고 싶다면, 한 가지 주제에 집중하고 그 주제를 깊게 파고들어 보는 것이 좋다. 이렇게 하면 블로그의 품질을 높일 수 있고, 독자들에게 독특한 가치를 제공할 수 있다. 그런 다음, 자신이 충분히 준비되었다고 판단될 때 다음 단계로 나아가는 것이 바람직하다.

'1인 지식 창업'을 통해 건강한 밥상을 세우는 것은, 단순히 경제적 이익을 얻는 것뿐만 아니라, 사회적 가치도 창출하는 일이다. 이를 통해 건강한 식생활의 중요성을 널리 알릴 수 있으며, 이를 통해 우리 모두의 삶의 질을 향상하게 시킬 수 있다. 이것이 바로 이 책을 통해 얻을 수 있는 가장 큰 가치이다.

- 수익 창출 전략: 다양한 수익 모델 탐색

1인 지식창업자가 수익을 창출하고 비즈니스를 확장하는 방법은 네 가지가 있다.

첫째, 유료 콘텐츠와 온라인 강좌를 활용하는 것이다. 이는 개인의 지식을 바탕으로 만든 콘텐츠를 판매하거나, 온라인 강좌를 통해 교육 서비스를 제공하는 방식이다.

둘째, 방법은 상품 판매로, 건강 식재료나 주방 도구 같은 관련 상품 판매를 통해 수익을 창출한다.

셋째, 광고와 협찬을 통한 방법이다. 브랜드와 협업하여 광고 이익을 얻거나, 자신의 플랫폼을 활용해 브랜드의 제품이나 서비스를 홍보한다.

마지막으로, 구독 서비스 모델이다. 정기적으로 레시피를 제공하거나 식재료를 배송하는 등의 서비스를 제공하여 소비자의 지속적인 이용을 유도하고 안정적인 이익을 얻는다.

이러한 다양한 수익 창출 전략을 실행하다 보면 업무 부담이 증가할 수 있다. 그러나 페이스북의 창업자 마크 저커버그는 서비스를 성장시킬 때 핵심 기능에만 집중하는 '간단하게 시작해서 점차 확장하라'는 원칙을 따랐다. 이 원칙을 1인 지식 창업에도 적용하면, 첫 단계에서 가장 중요한 전략에 집중하고 성공적으로 실행된 후 다음 단계로 나아갈 수 있다.

이처럼, 진행 중인 업무의 중요성을 인식하고 효과적으로 관리하는 것이 1인 지식 창업의 성공을 결정한다. 다양한 수익 창출 전략을 학습하고 실제로 실행에 옮기는 것이 필수적이다.

김영균

평화건재(주) 영업.관리 이사
작가. 효지도사. 출판지도사사
gell9411@naver.com

3장

기적을 만들어낸 어머니의 기도
감동과 교훈이 가득한 책

나를 낳아주신 부모님께 감사하라.

공중의 새를 보라. 심지도 않고 거두지도 않고 창
고에 모아 들이지 아니하되 너희 천부께서 기르시
나니 너희는 이것들 보다 귀하지 아니하냐."
-마태복음 6장 26절

어머니의 간절한 소원, 그리고 이루어진 기적

"기도는 영혼의 숨결이다. 기도를 통해 우리는 기적을 만난다." -마더 테레사

5월, 자연이 새로운 생명으로 물들고 가족들이 모여 기념하는 가정의 달이다. 이 화려한 계절에 나는 어머니의 기도와 그로 인해 일어난 기적에 관해 이야기하고 싶다.

어머니의 기도는 나의 생명을 이끄는 힘이다. 어릴 적부터 어머니의 기도 힘을 느꼈고, 그 힘은 지금도 나에게 큰 원동력이 된다. 어머니의 기도는 신념, 희망, 사랑, 헌신이 결합한 표현으로, 그것이 하늘에 닿을 때 기적이 시작된다.

어머니의 기도 힘을 가장 잘 보여주는 이야기는 막내아들이 육군사관학교 생도 시절에 허리 디스크에 걸렸을 때다. 육군 병원에서 수술

로 인해 군 생활을 못 하게 될 것이라는 말에 절망했던 어머니는 아들의 병을 고치기 위해 기도하고, 안수기도를 잘하는 여자 목사님에게 도움을 청했다. 어머니의 간절한 기도와 헌신은 아들의 병을 고치고, 아들은 다음 학기에 복학하는 기적을 이루었다.

기도의 힘은 소원을 이루는 것뿐만 아니라, 인생의 어려움을 극복하는 데 큰 도움을 준다. 어머니의 기도는 가족 전체에 긍정적인 영향을 미쳐, 가족을 더욱 서로에게 의지하고, 사랑하게 한다. 어머니의 기도는 우리 가족이 함께 성장하고 행복을 찾는 데 큰 힘이 되었다.

아름다운 5월, 가정의 달에 어머니에게 감사의 마음을 전하며, 어머니에 대한 고마움을 생각하며 글을 쓰고 있다.

　- 어머니의 간절한 기도: 기적의 통로
　"기도는 영혼의 호흡이다." 마하트마 간디

어머님의 마음은 어려움을 이겨내는 힘과 용기, 무한한 사랑이 가득한 곳이다. 이 글에서는 어머님의 마음이 기도로 표현될 때 기적을 이루어낸다는 사실을 살펴본다.

어머님의 기도는 때때로 어려움에 대한 극복의 첫 발걸음이 된다. 어머님들은 기도를 통해 희망의 불씨를 찾고, 그것을 자녀에게 전달하여 그들이 강해지게 한다. 이런 사실을 확인하기 위한 과학적 연구도 있다. 미국의 연구팀은 어머님의 기도가 어려움을 극복하는 데 많은 힘을 줄 수 있다는 것을 밝혀냈다.

어머님들의 기도가 어려움을 극복하는데 어떻게 큰 영향을 미치는지에 대한 연구는 흥미로운 결과를 보여준다. 그 결과, 어머님들의 기도는 자녀들에게 힘을 주어 자신감을 끌어올리고, 궁극적으로는 그 어려움을 극복하는 길을 열어준다.

그러나 기적은 어머님들의 기도에만 국한되지 않는다. 어머님이 자신의 아이가 암에 걸린 사실을 알게 된 경우에도 그들의 기도를 통해 아이에게 힘을 줬다. 그 결과 아이는 예상보다 더 빨리 회복하였고, 이는 기적으로 불렸다.

이런 사례들을 통해 알 수 있는 것은, 어머님의 기도는 단순히 말로 표현된 것이 아니라, 그들의 마음과 사랑이 담긴 힘이라는 것이다. 이 힘은 우리에게 필요한 용기와 희망을 불어넣고, 때로는 기적을 이루어낸다.

결국, 어머님의 간절한 기도는 어떤 힘을 가졌는지를 이해하는 것이 중요하다. 그 힘을 통해 어떤 어려움에 직면했을 때도, 우리는 극복의 희망을 찾을 수 있다. 이것이 바로 "어머님의 간절한 기도: 기적의 통로"라는 주제가 주는 중요한 메시지다. 이 메시지는 우리가 모두 훌륭한 미래를 개척해 나가는 데 도움을 줄 것이다.

   - 어머니의 믿음과 희망이 이루어낸 기적
   "희망은 날개 달린 꿈이다." - 아리스토텔레스

'기적을 이룬 어머니의 기도'라는 이야기는 사랑 이상의 감정이 어떻게 실질적인 기적을 만들어내는지를 보여준다. 어머니의 끊임없는 기도는 결국 현실에 큰 변화를 가져다주었고, 그 결과는 가족에게 기적처럼 다가왔다.

어머니의 불굴 기도 덕분에 아이는 건강하게 우등생으로 성장하였고, 중학교를 졸업한 후 수원의 고등학교에 입학하였다. 그러나 새로운 생활에 적응하는 과정에서는 여러 어려움이 있었다. 그중 하나는 집을 구하지 못한 것이었다. 하지만 어머니는 아이에게 성경의 구절을 인용하며 기도와 믿음으로 문제를 해결할 것이라고 말했다.

다음날, 아이는 학교에 입학하고, 어머니는 다른 부모님들과 이야기를 나누다가 한 할머니와 만나게 되었다. 할머니는 아이가 공부를 잘해서 100점을 맞았다는 어머니의 말에 감동하여, 아이에게 방을 제공해 주었다. 이는 어머니의 믿음과 기도가 이룬 기적이었다.

이후 아이는 엄격한 일정을 지키며 열심히 공부하여 육군사관학교에 입학하였다. 이는 어머니에게 큰 기쁨과 기적으로 다가왔다. 어머니의 끊임없는 기도와 무한한 사랑은 아이의 삶에 긍정적인 변화를 불러왔고, 이 변화는 가족 전체에게도 큰 기적으로 다가왔다.

이 이야기는 어머니의 사랑, 헌신, 그리고 무한한 믿음이 어떻게 기적을 이루어낼 수 있는지를 보여줬을 것이다. 이는 모든 가족이 하나가 될 수 있도록 돕는 긍정적인 변화를 불러왔다. 이것이 바로 '기적을 만들어낸 어머니의 기도'의 진정한 의미이다.

- 기도의 힘을 깨닫고 살아가는 삶

"기도는 우리가 할 수 있는 가장 강력한 일이며, 하나님이 하실 수 있는 가장 큰 능력을 초대하는 것이다." - 빌 하이벨스

'기도의 힘을 깨닫고 살아가는 삶'은 우리에게 어머니의 끊임없는 기도의 중요성을 깨닫게 해준다. 이것은 본질적으로, 우리의 깊은 감정을 하늘에 담아 보내는 것이다. 이는 우리의 소망, 꿈, 기대, 그리고 사랑을 표현하는 방법이다.

어머니는 6남매를 키우는 중에 많은 어려움에 부딪혔지만, 기도를 통해 힘을 얻었다. 그 기도는 실제로 기적을 이루어냈다. 막내아들이 대한민국 육군사관학교에 합격한 것은 그 기적 중 하나였다.

어머니의 기도 힘을 생각하며, 우리는 어머니의 간절한 소망과 사랑을 기억하며 살아갈 수 있다. 이것은 어떤 어려움에도 대처하는 힘이 되어준다.

"기도는 기적을 만들어낸다." 이것은 이 책을 통해 전하고자 하는 중요한 교훈이다. 어머니의 기도는 우리의 삶을 변화시키는 힘이 된다. 이 책을 통해 우리는 어머니의 끊임없는 사랑과 기도의 힘을 깨닫게 되고, 그것을 우리 삶에 적용할 수 있는 방법을 배울 수 있다.

이 글은 어머니의 기도 힘을 깨닫게 해주는 가이드북이 되었으면 한

다. 이 글을 통해, 우리는 삶의 어려움을 극복하고, 더 나은 미래를 만들어가는 힘을 얻게 되겠다고 생각한다. 기도의 중요성을 깨닫게 해주는 이 글이, 우리 모두의 삶에서 빛나는 지표가 되기를 기대한다.

어머니를 향한 사랑과 감사의 마음을 담은 이야기

"효도는 선한 행동을 통해 부모님에 대한 사랑과 존경을 표현하는 것이다." - 공자

- 효도의 의미와 중요성: 어머니에 대한 사랑과 존경

효도는 우리가 어머니에게서 받은 사랑과 배려를 인지하고, 이에 감사의 마음을 표현하는 행동이다. 공자가 강조하였듯이, 효도는 우리의 사랑과 존경의 감정을 어머니에게 전달하는 존중하는 행위다.

"기적을 만들어낸 어머니의 기도: 감동과 교훈이 가득한 책"에서는 효도의 중요성을 강조한다. 이 책은 어머니에게서 받은 사랑과 배려를 인지하고 감사의 마음을 표현하는 방법을 제시한다. 이런 행동은 우리 삶에서 중요한 가치를 창출하며, 우리가 더 나은 사람이 되는 데 도움

을 준다.

"효도는 백 가지 선행의 으뜸이다."라는 말은 어머니를 위한 소소한 실천이 효도의 시작이 될 수 있음을 보여준다. 이런 작은 실천이 쌓이면서, 우리는 어머니를 향한 사랑과 감사의 마음을 더욱 깊게 이해하게 된다.

일상에서 발견할 수 있는 '어머니를 위한 작은 실천'의 예로는 아침에 일어나 어머니에게 인사를 드리는 것, 어머니가 좋아하는 음식을 준비해 드리는 것, 어머니와의 산책 시간에서 어머니의 이야기를 들어주는 것 등이 있다. 이런 사례는 효도란 어머니에게 진실한 사랑과 감사를 표현하는 작은 행동들로부터 시작된다는 것을 보여준다.

작은 실천들이 모이면, 어머니와의 관계는 더욱 풍요로워지며, 어머니의 일상에도 큰 변화를 불러온다. 어머니가 받는 작은 배려와 사랑이 어머니의 일상에 즐거움을 더하고, 그로 인해 어머니의 삶의 질이 향상된다.

효도는 큰 행위나 도덕적 고민에서 시작하는 것이 아닌, 일상생활 속의 작은 행동에서 출발한다. 이것은 사랑과 감사의 마음을 가장 진실하게 표현하는 방식이다.

일상생활 속에서 누구나 할 수 있는 작은 효도의 실천 방법은 많다. 함께 산책하거나 운동하거나, 부모님의 이야기를 경청하고 조언을 구하는 것도 효도의 한 방법이다.

어머니와의 관계뿐만 아니라 가족 내의 다른 관계에도 작은 행동들이 어떤 긍정적인 변화를 불러오는지를 탐구해 보는 것도 중요하다. 그동안 어머니가 저를 위해 기도해 주셨던 모든 순간을 생각하며, 저역시 어머니를 위해 기도하는 마음으로 이 글을 마무리한다. "어머니, 정말로 감사합니다. 그리고 어머니를 사랑합니다."

- 효도의 의미와 중요성: 어머니에 대한 사랑과 존경

"부모의 은혜는 하늘처럼 끝이 없다." 한국 속담

효도, 그것은 공자가 강조했던 인간의 가장 기본적인 도덕과 덕목중 하나이다. 그가 말했듯, 효도는 우리가 어머니를 향한 깊은 사랑과 감사의 마음을 표현하는 방법이다. 어머니에게서 받은 사랑과 배려, 그리고 희생을 인지하는 것, 그것이 효도의 진정한 실천이다.

효도는 국어사전에서 '부모를 공경하고 정성껏 잘 모시는 도리'로 정의되어 있다. 하지만 효도는 단순한 행동 이상이다. 그것은 우리가 어머니에게 표현하는 사랑과 존경, 그리고 감사의 마음을 의미한다. 이런 마음과 감정이 우리의 행동에 영향을 미치며, 그것이 어떻게 우리의 생활에 반영되는지를 결정한다.

어머니에 대한 사랑과 존경을 표현하는 효도는 우리의 인생에서 중요한 역할을 한다. 그것은 우리가 어머니로부터 받은 사랑과 배려를 인정하고 그에 대한 감사의 마음으로 정성껏 잘 모시는 일이다. 이는 우리 삶에서 중요한 가치를 창출하며, 우리가 더 나은 사람이 되는 데 도움을 준다.

"기적을 만들어낸 어머니의 기도: 감동과 교훈이 가득한 책"이라는 책은 이러한 효도의 중요성을 강조한다. 이 책은 우리가 어머니에게서 받은 사랑과 배려를 인정하고 그에 대한 감사의 마음을 표현하는 방법을 제시하며, 그것을 통해 우리의 삶에서 중요한 가치를 창출한다.

이 책은 효도의 중요성을 가르치고, 그것이 어머니에 대한 사랑과 존경이 왜 중요한지를 설명하고자 했다. 현대 사회에서 효도의 중요성을 강조하는 이유와 그 필요성에 대해 깊이 있게 다루면서, 개인적으로는 물론 가족과 사회 전체에 미치는 긍정적인 영향을 구체적인 사례와 함께 설명한다.

- 어머니를 위한 작은 실천: 효도는 작은 것부터 시작

"효도는 백 가지 선행의 으뜸이다." - 한국 속담

작은 실천이 모이면 어머니를 향한 사랑과 감사의 마음을 더욱 깊게 이해하게 된다. 일상에서 발견할 수 있는 '어머니를 위한 작은 실천'은 아침에 일어나 어머니에게 인사를 드리는 것, 어머니가 좋아하는 음식을 준비해 드리는 것, 어머니와의 산책 시간에 어머니의 이야기를 들어주는 것 등이다. 이들 모두가 작은 실천이지만, 그것들은 우리의 마음에서 흘러나오는 진실한 사랑과 감사의 표현이다.

이렇게 작은 실천이 모이면, 어머니와의 관계는 더욱 풍요로워지고, 어머니의 삶에도 큰 변화를 불러온다. 어머니가 받는 작은 배려와 사랑이 어머니의 일상에 즐거움을 더하고, 그로 인해 어머니의 삶의 질이 향상된다.

"효도는 작은 것부터 시작한다"라는 말은 효도의 본질을 보여준다. 효도는 큰 행위나 도덕적 고민에서 시작하는 것이 아니다, 일상생활 속의 작은 행동에서 출발한다. 이것은 사랑과 감사의 마음을 가장 진실하게 표현하는 방식이며, 이 작은 실천들이 우리 삶에 큰 변화를 불러오는 힘이 있다.

일상생활 속에서 누구나 할 수 있는 작은 효도의 실천 방법은 많다. 효도란 반드시 거창해야만 하는 것이 아니다. 함께 산책하거나 운동하거나, 부모님의 이야기를 경청하고 조언을 구하는 것도 효도의 한 방법이다.

이런 작은 행동들이 어머니와의 관계뿐만 아니라 가족 내의 다른 관계에도 어떤 긍정적인 변화를 불러오는지를 탐구해 보자. 그동안 어머니가 저를 위해 기도해 주셨던 모든 순간을 생각하며, 저 역시 어머니를 위해 기도하는 마음으로 이 글을 마무리한다. 어머니, 정말로 감사합니다. 그리고 어머니를 사랑합니다.

- 효도의 실천을 통해 얻는 행복: 감사하는 마음으로 살아가는 삶

"부모님께 효도하는 마음은 나의 뿌리를 튼튼하게 하고, 나의 삶을 풍요롭게 한다." 공자

효도, 이것은 가장 기본적인 가치관을 형성하는 중심축이다. 어머니에게 대한 사랑과 존경, 이것이 바로 효도다. 이 책에서는 그런 효도의 중요성을 깨우치고, 효도를 통해 어머니에게 전하는 감사의 마음이 어떻게 우리 삶을 행복하게 만드는지를 보여준다.

우리 자신의 생명을 선물해 준 어머니에게 감사의 마음을 표현하는 것, 그것이 효도다. 이 감사의 마음은 우리의 삶을 더욱 풍요롭게 만든다. 어머니에게 예의를 표하는 것이 아니라, 사랑과 존경을 표현하는 행위, 그것이 진정한 효도다.

어머니에게 받은 사랑과 희생과 배려를 인정하고, 그에 대한 감사의 마음으로 살아가는 삶, 그것이 바로 효도다. 이 글은 우리에게 그런 삶을 살아가는 방법을 제시하고자 한다. 어머니에게 우리의 사랑과 감사를 표현함으로써, 우리는 삶에서 큰 행복을 느낄 수 있다. 그 행복은 우리가 삶에서 직면하는 어려움을 극복하는 데 큰 힘이 된다.

"효도의 실천을 통해 얻는 행복, 감사하는 마음으로 살아가는 삶"이라고 쓰고 있는 이 글은 그런 메시지를 전한다. 이 글을 통해 우리는 효도의 중요성을 깨닫고, 그것을 실천하는 방법을 배울 수 있기를 바란다. 결국, 이 글로써 가장 중요한 교훈을 전하려 한다. 그것은 바로 어머니에 대한 사랑과 감사의 마음, 그것이 우리의

삶에서 가장 중요한 가치라는 것이다.

이 글을 읽고 나면, 우리는 그 가치를 깨닫고, 우리의 삶에 적용하는 방법을 배울 수 있길 바란다. 이 글은 효도를 "사랑의 실천"이라고 정의한다. 그것이 이 글의 전체적인 메시지를 가장 잘 요약해준다. 효도를 실천하면 얻게 되는 감사하는 마음과 그로 인한 행복감에 관해 설명하며, 그것이 어떻게 삶의 질을 향상하고 가족 관계를 더욱 풍요롭게 만드는지를 구체적으로 보여준다.

헌신과 희생에서 얻는 긍정적인 에너지

"희망은 절망의 고비를 넘어서는 다리이다."- 알렉산더 팝

희망과 용기: 헌신과 희생에서 얻는 긍정적인 에너지

희망과 용기는 우리의 삶을 풍요롭게 하는 핵심 요소이다. 특히 어머니의 기도에서 나오는 희망과 용기는 헌신과 희생을 통해 긍정적인 에너지를 얻는 데 중요한 역할을 한다. 어머니의 기도는 단순한 기도가 아니다. 이는 가족을 위한 헌신과 희생의 표현이며, 그 자체로 강력한 힘을 지닌다.

어머니의 기도는 가족의 안녕을 바라는 마음에서 시작된다. 이 기도는 때로는 가족을 위한 희생을 수반한다. 많은 어머니가 자신의 시간을 쪼개어 가족을 위해 기도하고, 그 기도 속에서 희망과 용기를 얻는다. 이러한 기도는 가족에게 긍정적인 에너지를 전달하며, 가족 구성

원들이 어려움을 이겨내는 데 큰 도움이 된다.

어머니의 기도는 가족 구성원들에게 희망과 용기를 불어넣는다. 이는 어머니가 자신의 시간을 희생하고 가족을 위해 헌신하는 과정에서 비롯된다. 예를 들어, 한 어머니가 자기 자녀가 어려움을 겪고 있을 때, 그 어머니는 기도를 통해 자녀에게 희망과 용기를 전달한다. 이러한 기도는 자녀가 어려움을 극복하는 데 큰 힘이 된다.

어머니의 기도는 또한 가족 구성원들 간의 유대감을 강화한다. 이는 어머니가 가족을 위해 헌신하고 희생하는 과정에서 비롯된다. 어머니의 기도는 가족 구성원들 간의 신뢰와 사랑을 더욱 깊게 만들며, 가족이 함께 어려움을 극복하는 데 큰 도움이 된다.

어머니의 기도는 또한 사회적 가치도 지닌다. 이는 어머니가 자기 가족뿐만 아니라 사회 전체를 위해 기도할 때도 해당한다. 예를 들어, 한 어머니가 자기 자녀뿐만 아니라 지역 사회 전체의 안녕을 위해 기도할 때, 그 기도는 사회 전체에 긍정적인 영향을 미친다. 이러한 기도는 사회적 연대감을 강화하며, 사회 구성원들이 함께 어려움을 극복하는 데 큰 도움이 된다.

어머니의 기도는 또한 자신을 깊이 이해하는 과정에서 비롯된다. 이는 어머니가 자신의 역할과 가치를 인식하고, 그것을 바탕으로 가족을 위해 헌신하고 희생하는 과정에서 시작된다. 어머니의 기도는 자신을 이해하고, 그 이해를 바탕으로 새로운 가치를 창출하는 과정이다. 이를 통해 어머니는 자신의 가치를 높이고, 가족과 사회에 긍정적인 영향을 미칠 수 있다.

예를 들어, 한 어머니가 자기 자녀를 위해 기도하는 과정에서 자신의 역할과 가치를 재조명할 수 있다. 이를 통해 어머니는 자기 능력과 경험을 바탕으로 새로운 가치를 창출하고, 그 가치를 가족과 사회에 전달할 수 있다. 이러한 과정은 어머니 자신뿐만 아니라 가족과 사회 전체에 긍정적인 영향을 미친다.

어머니의 기도는 또한 네트워크를 구축하는 데도 중요하다. 이는 어머니가 자신의 가치와 미션을 이해하고, 그것을 세상에 전달하는 과정에서 시작된다. 어머니의 기도는 가족과 사회 간의 진정한 관계를 형성하고, 네트워크를 확장하는 데 큰 도움이 된다. 예를 들어, 한 어머니가 자기 기도를 통해 지역 사회와의 관계를 강화할 수 있다. 이는 어머니가 자신의 가치와 미션을 이해하고, 그것을 지역 사회에 전달하는 과정에서 시작된다.

어머니의 기도는 시간과 노력이 필요하다. 이는 어머니가 자신의 역할과 가치를 깊이 이해하고, 그것을 바탕으로 새로운 가치를 창출하며, 그것을 가족과 사회에 효과적으로 전달하는 과정에서 시작된다. 이러한 과정은 어머니 자신뿐만 아니라 가족과 사회 전체에 긍정적인 영향을 미친다.

결론적으로, 어머니의 기도는 헌신과 희생을 통해 긍정적인 에너지를 얻는 중요한 과정이다. 이는 어머니가 자신의 역할과 가치를 깊이 이해하고, 그것을 바탕으로 새로운 가치를 창출하며, 그것을 가족과 사회에 효과적으로 전달하는 과정에서 시작된다. 어머니의 기도는 가족과 사회 전체에 긍정적인 영향을 미치며, 우리 모두에게 새로운 시작을 제공하는 중요한 활동이다. 이러한 과정은 우리의 삶을 풍요롭게 하고, 사회적 가치를 창출하는 데 큰 도움이 된다.

어머니의 기도가 독자들에게 영감을 주고, 그들 역시 자신만의 기도를 통해 새로운 시작을 할 수 있기를 바란다. 어머니의 기도는 단순한 기도가 아니라, 헌신과 희생을 통해 긍정적인 에너지를 얻는 중요한 과정이다. 이를 통해 우리는 모두 자신만의 독특한 가치를 창출하고, 가족과 사회에 긍정적인 영향을 미칠 수 있다.

어머니의 끊임없는 기도와 헌신은 모두의 성공을 이루어냈다. 그 성공은 어머니에게 큰 기적과 같이 느껴졌다. 왜냐하면 그것들은 모두 어머니의 기도와 사랑이 이루어낸 결과였기 때문이다.

어머니의 사랑은 우리에게 희망과 용기를 주며, 삶을 이끌어가는 큰 역할을 했다. 그리하여 '효도'는 어떠한 어려움에 부딪혀도 우리의 소망과 희망을 기도로 표현하는 것이 중요하다는 것을 보여줬다.

"기도로 기적을 만들어낸다"라는 말은 이 글을 통해 전하고 싶은 가장 귀중한 메시지이다. 어떤 어려움이라도, 우리는 어머니의 끊임없는 사랑과 기도의 힘을 빌려 삶을 더욱 풍요롭게 만들 수 있다.

이 글은 단지 글이 아닌, 삶을 바꾸는 원동력과 길잡이다. 어머니의 사랑에서 배운 긍정적인 에너지를 삶에 적용하고 감사의 마음을 전하며, 이 글을 마무리한다.

김형숙

작가/ 강사
suki2024@naver.com
십시일강연구소 대표
한국십시일강문화예술교육협회 대표
낭독캠퍼스 대표

경력
전)한국열린사이버대학교특임교수
NCS 고용노동부 강사
SNS마케팅 강사
낭독 강사
낭독 독서모임 운영
건강 독서모임 운영
새벽 습관 맹큐챌린지
멀티미디어콘텐츠제작전문가
전자출판지도사
소셜라이브방송전문가

저서
김형숙의 낭독시대
어머니의 뜨락 외 다수

4장

5060 낭독과 책쓰기로 풍요로운 2막

책을 통해
스스로를 도야하고 정신적으로
성장해 나가고자 하는 데는
오직 하나의 원칙과 길이 있다.
그것은
읽는 글에 대한 경의,
이해하고자 하는 인내,
수용하고 경청하려는 겸손함이다.
-헤르만 헤세

1인 지식기업가, 은퇴 후 삶의 새로운 도전

"나이는 단지 숫자에 불과하다. 새로운 도전에는 시작이 중요하다." - George Eliot

- 1인 지식기업가, 은퇴 후 삶의 새로운 도전

인생의 빛나는 1막을 마치고, 2막의 주인공이 된 당신에게 박수를 보낸다. 2막은 은퇴 후 삶에 대한 새로운 도전이다. 청춘인 첫 번째 막을 보낸 후, 은퇴를 맞이하고, 사람들은 1인 지식기업가로서 새로운 삶을 시작한다. 이 도전은 새로운 세계를 선사한다. 동시에 자유와 책임을 부여받는 새로운 시작이다. 자신만의 비즈니스를 개발하고, 새로운 스킬을 배운다. 사람들은 새로운 역할에 적응하며, 자기 능력을 최대한 발휘하고, 경험과 지식을 바탕으로 새로운 가치를 창출한다. 이를 통해 사회에 기여하고, 자신의 삶을 더욱 풍요롭게 만든다. 성공은 자기 능력과 열정, 그리고 끊임없는 노력으로 만들어진다.

"모든 성공은 작은 시작에서 비롯된다." 성공은 하루아침에 이루어지는 것이 아니라, 지속적인 노력과 학습, 그리고 변화를 통해 이루어진다. 은퇴 후 삶의 새로운 가능성을 찾아가는 과정 역시 이와 같다. 새로운 기회를 찾아야 하고, 그 기회를 최대한 활용해야 한다. 이것은 삶의 어떤 시기에도 새로운 가능성을 찾아내고, 그를 통해 자신의 삶을 더욱 풍요롭게 만들 수 있다는 중요한 교훈을 준다. 이 과정은 쉽지 않다. 새로운 도전은 항상 불확실성과 위험을 동반한다. 그 위험을 감수하며 새로운 도전을 받아들여야 한다. 자기 경험과 지식을 바탕으로 자신만의 성공을 찾아낼 수 있다.

은퇴는 삶의 종말이 아닌, 서막을 알리는 출발점이다. 1인 지식기업가로서 은퇴 후의 삶은 단순한 휴식 시간이 아니라, 무엇인가 할 수 있다는 꿈과 비전을 찾는 시간이다.

첫째, 은퇴는 삶의 새로운 장을 열어가는 것을 의미한다. 은퇴 후, 새로운 시각을 찾고, 다양한 기회를 탐색한다. 은퇴를 삶의 종말이 아니라, 새로운 시작으로 바라보는 태도에 따라 삶의 질이 달라진다.

둘째, 은퇴를 맞이하면서 자신의 지식과 경험을 활용하여 새로운 가치를 창출한다. 1인 지식기업가로서 새로운 역할을 수행하며, 이를 통해 사회에 이바지한다. 새로운 비즈니스 모델을 개발하고, 새로운 기능을 학습하며, 자신의 지식과 경험을 공유한다. 이런 태도는 끊임없는 성장과 발전을 추구하는 긍정적인 은퇴의 삶을 보여준다. 자기 능력과 열정, 그리고 끊임없는 노력으로 이루어진다.

결론적으로, 은퇴는 삶의 새로운 출발점이다. 이 시작을 통해 삶의 새로운 가능성을 찾는 것이 우리가 추구해야 할 은퇴 후의 멋진 삶이라 할 수 있다. 낭독하는 삶과 책 쓰는 삶은 남은 인생의 질이 높아지고 자신의 꿈을 이루어 갈 수 있다.

- '50대 이후, 지식을 활용한 창업의 가능성'

"모든 것이 가능하다고 믿는 사람에게는 모든 것이 가능하다."
- 노먼 빈센트 필

'50대 이후, 지식을 활용한 창업의 가능성'이라는 주제로서, 50대 이상의 연륜과 지혜를 가진 사람들이 어떻게 자신의 전문 지식을 활용하여 성공적인 창업을 이루어내는지에 대해 탐구한다. 이는 그들이 단순히 삶의 후반기를 편안하게 보내는 것이 아니라, 새로운 도전과 기회를 적극적으로 찾아 나가며 더욱 풍요로운 삶을 이루어 가는 모습을 보여준다.

"인생에서 가장 큰 위험은 위험을 감수하지 않는 것"이라는 말이 있다. 이 말은 50대에서 새로운 도전을 시작하는 것이 삶을 더 풍요롭게 만들 수 있다는 것을 의미한다. 이러한 사례로는 김선희 씨가 있다. 50대 후반에 안정된 직장을 떠나 프리랜서로 일하며

SNS에 관심을 가지게 되었다. 처음에는 두려웠지만, 그녀는 자신의 비전에 따라 계속 도전한다. 이러한 도전의 결과, 그녀는 지식을 창업에 활용하여 성공한다.

또 다른 사례로 이선미 씨를 들 수 있다. 그는 "5년 안에 100명에게 긍정적인 영향을 미치겠다"라는 목표를 세우고 이를 달성하기 위해 끊임없이 노력한다. 이러한 행동은 목표를 설정하고 이를 향해 꾸준히 도전하는 것이 성공으로 이어진다는 것을 보여준다.

이러한 사례들을 통해 몇 가지 중요한 교훈을 얻을 수 있다. 첫째, 경험과 지혜는 창업의 가장 큰 자산이다. 두 번째, 목표를 설정하고 이를 향해 꾸준히 도전하는 것이 중요하다는 것이다. 세 번째, 지속적인 학습과 자기 계발이 성공적인 창업을 위해 필요한 것이다.

이 글을 통해 50대 이후에도 지식을 활용한 창업의 가능성이 충분히 있다는 것을 알게 된다. 이는 세상에 늦게 시작하는 것이라는 개념이 없음을 보여주며, 어떤 나이에서도 새로운 도전과 성장이 가능하다는 메시지를 전한다. 이러한 사실은 우리 모두에게 큰 희망과 용기를 준다. "나이는 단지 숫자에 불과하다"라는 말이 실제로 증명되는 순간이다. 이러한 말은 우리에게 끊임없이 도전하고 새로운 것을 배우며 성장하는 삶의 태도를 갖추는 것이 얼마나 중요한지를 상기시켜 준다.

따라서 우리는 우리의 나이와 상관없이 새로운 도전을 두려워하지 않아야 한다. 우리는 우리의 지식과 경험을 활용하여 더 큰 도전을 감행하고, 이를 통해 더 큰 성공을 이루어낼 수 있다. 이러한 과정을 통해 우리는 우리의 삶을 더 풍요롭고 의미 있는 것으로 만들 수 있다. 이것이 바로 '50대 이후, 지식을 활용한 창업의 가능성'이다.

낭독, 은퇴 후 삶을 풍요롭게 하는 비결

"인생에서 가장 큰 위험은 어떤 위험도 감수하지 않는 것이다."
- Mark Zuckerberg
- 은퇴 후의 새로운 시작: 낭독을 통한 삶의 풍요로움

낭독은 글을 읽고 그 내용을 소리내어 말하는 행위로, 이를 통해 글의 내용을 더 깊이 이해하게 되며, 새로운 시각을 얻게 된다. 이는 지식을 공유하는 강력한 도구이며, 정보에 담긴 의미와 가치를 함께 전달한다.

연구에 따르면, 낭독은 뇌를 활성화하고, 집중력과 기억력을 향상한다. 이는 새로운 정보를 효과적으로 학습하고 이해하는 데 도움이 된다. 또한, 낭독은 창의력을 자극하고, 문제 해결 능력을 발전시킨다. 이런 이유로, 낭독은 은퇴 후 삶을 풍요롭게 만드는 중요한 요소가 될 수 있다.

당신만의 낭독 시간을 만들어보는 것이 좋다. 이 시간은 책을 읽는 것뿐만 아니라, 자기 생각과 감정을 소리 내어 말하는 시간으로도 활용할 수 있다. 그렇게 하면, 자신의 감정과 생각에 대해 더 깊이 이해하고, 그것을 표현하는 능력을 향상할 수 있다.

낭독은 은퇴 후 삶을 풍요롭게 만드는 중요한 요소이며, 뇌를 활성화하고, 지식을 확장하며, 이해력을 높인다. 무엇보다도, 새로운 가능성을 발견하고, 삶의 의미와 가치를 찾는 데 도움을 준다. 그래서 은퇴 후의 삶에서 낭독의 힘을 활용해 보는 것을 강력히 추천한다.

낭독은 은퇴 후 삶의 새로운 시작을 위한 완벽한 동반자이다. 일상의 굴레에서 벗어나 자유로운 시간을 누리는 은퇴자들에게 낭독은 새로운 의미와 가치를 선사한다. 이것은 지식과 경험을 나눔으로써 세상과 소통할 기회를 제공한다.

낭독은 새로운 친구와 관계를 형성하는 데에도 도움이 된다. 낭독 모임이나 클럽에 참가함으로써, 은퇴자들은 비슷한 관심사를 가진 사람들과 만나 교류할 수 있다. 이러한 교류는 외로움을 덜어주고, 삶의 즐거움을 더해준다.

낭독은 은퇴 후 삶의 질을 향상하는 데에도 효과적이다. 연구에 따르면, 낭독은 인지 능력 저하를 예방하고, 우울증 증상을 개선하며, 스트레스를 줄이는데 도움이 된다. 낭독을 시작하는 것은 어렵지 않으며, 인터넷이나 도서관에서 다양한 낭독 자료를 쉽게 찾을 수 있다. 은퇴 후 삶을 더욱 풍요롭게 만들고 싶다면, 낭독을 시작해 보는 것을 강력히 추천한다.

- 은퇴 후 낭독을 통한 새로운 시작한 영수 씨 이야기

"당신의 이야기를 세상과 공유하는 것을 두려워하지 마세요. 당신의 이야기는 다른 사람들에게 영감을 줄 수 있습니다." - 넬슨 만델라

은퇴 후 삶을 풍요롭게 만드는 방법의 하나로 낭독을 선택한 영수 씨의 이야기를 들어보자. 그는 60세에 은퇴한 후, 많은 시간을 어떻게 보낼지 고민했다. 그는 평생을 회사에서 일하며 바쁘게 지냈기 때문에, 갑작스러운 여유 시간에 어떻게 대처할지 몰랐다. 처음에는 TV를 보거나 신문을 읽으며 시간을 보냈지만, 점점 무료함을 느끼기 시작했다.

그러던 중, 그는 우연히 화상 토론회에서 진행한 낭독 모임에 참여하게 되었다. 이 모임은 온라인에서 모여 책을 소리내어 읽고, 그 내용을 서로 나누는 자리였다. 처음에 어색했지만, 이 모임에서 새로운 영감을 받았다. 그는 책을 소리내어 읽는 것이 단순한 독서 이상의 의미가 있다는 것을 깨달았다.

그는 매주 낭독 모임에 참석하며 다양한 책을 접했다. 그중에서도 자기 계발 책을 특히 좋아하게 되었다. 낭독을 통해 책의 내용을 더욱 깊이 이해하게 되었고, 새로운 지식을 얻게 되었다. 책을 읽으며 나의 현재 삶에 어떻게 영향을 미치는지 깊이 생각하게 되었다.

또한, 낭독 모임에서 만난 사람들과의 대화는 그에게 큰 자극이 되었다. 다양한 배경과 경험을 가진 사람들과의 대화를 통해 자기 생각의 폭을 넓힐 수 있었다. 특히, 모임에서 만난 손 대표와의 대화는 그에게 큰 영향을 주었다. 손 대표는 은퇴 후에도 계속해서 새로운 도전을 하며, 삶을 적극적으로 살고 있었다. 그 이야기를 들은 그는 자신의 은퇴 후 삶도 이렇게 의미 있게 만들 수 있겠다는 희망을 품게 되었다.

그는 낭독을 통해 얻은 영감을 바탕으로, 은퇴 후에도 계속해서 성장할 수 있는 방법을 찾기 시작했다. 그는 매일 아침 일찍 일어나 산책하며 책을 낭독하는 습관을 들였다. 또한, 지역 도서관에서 자원봉사를 시작했다. 다른 사람들에게도 낭독의 즐거움을 전파했다. 그는 어린이들에게 동화책을 읽어주었다. 아이들이 책을 좋아하게 만드는 데 크게 이바지했다.

낭독을 통해 자신의 삶을 더욱 풍요롭게 만들었을 뿐만 아니라, 다른 사람들과의 관계도 더욱 돈독하게 만들었다. 그는 가족과 함께 책을 낭독하며, 서로의 생각과 감정을 나누는 시간을 가졌다. 이는 가족 간의 유대감을 강화하고, 서로를 더욱 깊이 이해하는 데 큰 도움이 되었다.

은퇴 후에도 계속해서 배우고 성장할 수 있다는 것을 보여준다. 낭독은 그에게 새로운 영감을 주었고, 그의 삶을 더욱 풍요롭게 만들었다. 낭독을 통해 얻은 지식을 바탕으로 재능을 발견하고 자신이 좋아하는 일을 찾게 되었다. 그는 은퇴 후에도 계속해서 의미 있는 삶을 살아가고 있다. 이러한 그의 이야기는 우리에게 큰 교훈을 준다. 은퇴 후에도 계속해서 배우고 성장하며, 새로운 가능성을 발견하는 삶을 얼마든지 할 수 있다.

은퇴 후 삶을 풍요롭게 만드는 책 쓰기

"책을 쓰는 것은 다른 세계로 향하는 문을 여는 것과 같다. 은퇴 후에 책을 쓰면 자신의 지혜와 경험을 공유하고 새로운 가능성의 문을 열 수 있다." - 토니 모리슨(Toni Morrison)

- 은퇴 후 삶의 풍요로움을 찾는 방법

은퇴 이후 삶의 풍요로움을 찾는 것은 쉬운 일이 아니다. 그러나 지식창업을 통해 이 도전을 극복할 수 있다. 지식창업은 현대 사회에서 무한한 가능성을 제공하는 분야로, 자신의 전문성을 바탕으로 새로운 가치를 창출하는 것을 의미한다.

김영희는 50대 후반에 경험을 바꾸어 프리랜서로 일하기 시작했다. 안정된 직장을 떠나 새로운 도전을 시작했다. 처음에는 두려웠지만, 그녀의 비전에 따라 계속해서 도전했다. 2년 동안 목포 협업학교에서 컴퓨터 공부를 했고, 이제는 부산협업학교에서 계속 배우고 있다. 그녀는 파워포인트를 이용해 전자책 작성을 가르치며, 자신도 매일 전자책을 작성하고 있다. 이것은 50대에서도 새로운 도전으로 성공할 수 있다는 것을 보여주고 싶다는 이유에서다.

50대는 지혜와 경험의 결합 시기라고 할 수 있다. 이런 자산은 새로운 도전에 큰 힘을 준다. 젊음의 열정과 에너지에 삶의 경험과 지혜가 더해진다.

지식창업에서 중요한 것은 지속적인 학습과 자기 계발이다. 현대 사회는 빠르게 변화하고 있으며, 새로운 지식을 습득하지 않으면 도태될 수 있다. 그렇기에 새로운 지식을 습득하고, 이를 사업에 적용하는 것이 중요하다.

성공적인 창업을 위해서는 자신만의 강력한 무기가 필요하다. 자신만이 가지고 있는 콘텐츠를 통해 필요한 자원을 빠르게 확보하고, 사업을 확장할 수 있다. 콘텐츠는 사업을 강화하고 다양한 기회를 제공한다. 따라서 새로운 사람들과의 만남을 소중히 여기고, 이를 통해 브랜드를 확장하는 것이 중요하다.

은퇴 후 삶의 풍요로움을 찾는 과정은 쉬운 일이 아니다. 그러나 자신의 지식과 경험을 활용하여 새로운 가치를 창출하는 것으로, 은퇴 후에도 삶의 풍요로움을 찾을 수 있다. 자신만의 콘텐츠를 활용하여 사업을 확장하고, 새로운 기회를 찾아내는 것이 중요하다. 지속적인 학습과 자기 계발, 그리고 명확한 목표 설정을 통해 은퇴 후의 삶을 더욱 풍요롭게 만들 수 있다. 이러한 과정을 통해 은퇴 후에도 계속해서 성장하고 발전하는 삶을 살 수 있다.

- 책 쓰기를 통한 새로운 삶의 시작

"많이 읽으세요. 좋은 책이든, 나쁜 책이든, 고전이든 모든 종류의 책을 읽어서, 작가들이 어떻게 글을 쓰는지 배우세요. 마치 목수가 스승의 기술을 배우듯이요. 읽으면서 많은 것을 배우게 될 것입니다. 그러고 나서 직접 글을 써보세요. 글이 좋다면 그대로 유지하고, 만족스럽지 않다면 그냥 버리세요."
- 윌리엄 포크너 -

책 쓰기는 은퇴 후 삶을 더욱 풍요롭게 만드는 훌륭한 방법이다. 자기 경험과 지식을 책으로 출간함으로써 삶을 회고하고 타인과 공유하며 새로운 도전과 기회를 얻을 수 있다. 은퇴 후 책 쓰기는 자신의 삶을 되돌아보고 그 안에서 의미 있는 가치를 발견하는 과정이다. 이 과정에서 자기 경험과 지식을 정리하고 독자들에게 전달하면서 삶을 더욱 깊이 있게 이해할 수 있다.

자기 경험을 책으로 출간함으로써 타인에게 영감을 줄 수 있다. 독자들은 저자의 이야기를 통해 자신의 삶을 되돌아보고 새로운 도전을 시도할 용기를 얻는다. 은퇴 후 책 쓰기를 통해 자신의 삶을 더욱 풍요롭게 만들고, 경험과 지식을 타인과 공유하여 삶의 의미를 더욱 높일 수 있다.

책 쓰기는 새로운 도전과 지금까지와는 다른 기회를 제공한다. 자기 경험과 지식을 책으로 출간함으로써 새로운 분야에 도전할 수 있는 기회를 얻을 수 있다. 이 과정은 단순히 글을 쓰는 것 이상의 가치를 지니며, 자기 생각과 경험을 표현하는 독특한 방법으로 삶을 더욱 풍요롭게 만들 수 있다. 은퇴 후 책 쓰기를 통해 삶의 두 번째 막을 더욱 빛나게 만들 수 있다.

프랭크 맥코트는 미국의 작가로, 은퇴 후에 자서전적인 소설 '안젤라의 재'를 집필하여 풀리처상을 수상하고 세계적으로 유명해졌다. 그는 교사로 은퇴한 후 본격적으로 글을 쓰기 시작하였다.

로라 잉갈스 와일더는 미국의 작가로, '초원의 집' 시리즈로 유명하다. 그녀는 60세가 넘은 나이에 처음 책을 출간하였고, 은퇴 후 본격적으로 작가로서 활동하였다.

해리 번스는 영국의 정치가이자 작가로, 은퇴 후에 여러 권의 역사 소설을 집필하여 큰 성공을 거두었다.

철학자이자 수필가인 김형석 교수는 은퇴 후에도 활발히 글을 쓰며 다수의 책을 출간하였다. 그의 책 '백년을 살아보니'라는 삶에 대한 깊은 통찰과 지혜를 담고 있으며, 많은 사람에게 큰 영감을 주었다. 이처럼 은퇴 후에 글을 써서 성공한 사례들을 통해 은퇴 후 책 쓰기의 가능성과 장점을 더욱 명확히 설명할 수 있다.

책 쓰기는 쉽지 않은 도전이다. 그러나 당신은 잘할 수 있다. 그 과정에서 큰 노력과 인내를 통해 자신을 더욱 깊이 이해하고 삶의 의미를 분명히 인식할 수 있다.

책 쓰기는 창의적인 과정이다. 글을 쓰면서 새로운 아이디어를 발견하고 복잡한 문제를 해결하며 자신의 재능을 발견할 수 있다. 이 과정은 세상을 바라보는 시야를 넓혀주고 가능성을 발견하는 데 도움이 된다. 책 쓰기를 통해 자신의 내면세계를 들여다보고 이해하는 과정에서 무엇을 중요하게 생각하는지, 어떤 가치를 가졌는지 발견할 수 있다. 글을 쓰는 것은 자기 성찰의 시간을 갖는 것이다. 자신을 더욱 깊게 이해하고 삶의 의미를 분명히 인식하는 데 도움이 된다.

결론적으로, 은퇴 후 책 쓰기는 단순한 취미를 넘어 자신의 삶을 의미 있게 만들고 새로운 도전과 기회를 제공하는 귀중한 과정이다. 자신만의 이야기를 세상에 내놓음으로써 다른 이들에게 희망을 준다. 자기 내면을 깊이 이해하며 삶의 새로운 장을 여는 소중한 여정이 될 것이다. 새로운 도전과 기회를 얻을 수 있는 은퇴 후 책 쓰기를 시작해 보는 건 어떨까?

손영숙

작가

imsys0814@naver.com

경력
힐링대학 (민간 자격증 발급기관)
시니어 강사

5장

웃음으로 여는 인생 2막 .
시니어를 위한 인생 노하우

인간은 웃을수 있는 유일한 생물이다. 그러나
웃음의 가치를 알고 있는것은 더욱 드물다.
-마크 트웨인 (작가)

웃음의 가치 재발견

"웃음은 영혼의 햇빛이다." -빅터 휴고

- 웃음과 긍정성
"웃음은 인생의 해답이다." - 찰리 채플린

나는 시니어 대상 강의를 하고 있다. 그래서, 가능한 한 웃음을 많이 전해주려고 노력한다. 웃음과 긍정성은 인생 2막을 풍요롭게 만드는 주요한 요소이다. 웃음은 마법과 같은 힘이 있어, 우리의 마음을 열고 행복을 만들어낸다. 웃음은 스트레스를 줄이고, 감정을 안정시키며 심장 건강에도 긍정적인 영향을 미친다. 또한, 웃음은 사람들 간의 관계를 강화하고 사회적 유대감을 촉진하는 힘을 갖고 있다.

긍정적인 태도는 웃음과 함께 가는 친구로, 삶의 작은 기쁨을 찾고 더 밝은 미래를 그려나가는 데 큰 도움이 된다. 웃음과 긍정성은 인생의 여정을 아름답게 만들어 주는 중요한 역할을 하며, 우리가 세상과 소통하는 방식을 결정한다.

사회적 유대감 증진도 인생 2막을 풍요롭게 만드는 또 다른 중요한 요소이다. 사람들이 함께 웃을 때, 그들 사이의 피곤이 사라지고 강력한 유대감이 형성된다. 공통의 취미나 관심사를 공유하면서 사람들 사이의 관계가 깊어지고, 이는 사회적 유대감을 강화하는 중요한 방법이다. 이러한 활동들은 사람들이 함께 웃음과 즐거움을 공유하는 시간을 만들어내며, 사회적 유대감을 더욱 강화한다.

자원봉사 활동은 지역 사회에서 서로를 돕는 동안 강력한 유대감을 형성하는 뛰어난 방법이다. 이런 활동은 다양한 배경을 가진 사람들과 상호작용하며, 우리의 시각을 넓히는 기회를 제공한다. 이러한 방법들은 우리가 서로를 이해하고 존중하며, 사회적 유대감을 증진하는 데 크게 이바지한다.

- 스트레스 해소와 정서적 안정
"행복은 우리가 가진 것에 감사하는 마음에서 온다." – 달라이 라마

스트레스 해소 및 정서적 안정에 대한 중요성은 더 이상 무시할 수 없는 사실이다. 이는 고요한 바다에서 거친 파도가 일어날 때 그 파도를 넘어서 바다를 향해 나아간다는 것을 의미한다. 이것이 바

로 현대 사회에서 우리의 삶, 그리고 스트레스와의 싸움이다.

스트레스는 우리의 삶을 거세게 흔들기도 하고, 때로는 우리의 안정을 빼앗아 가기도 한다. 그러나 연구에 따르면, 깊은숨을 쉬고 명상하는 것은 과학적으로 검증된 스트레스 해소 방법이다. 2014년에 발표된 하버드의 한 연구는, 8주 동안 명상 프로그램에 참여한 사람들의 뇌 스캔에서 스트레스와 관련된 뇌 영역이 줄어들었다는 결과를 보였다.

반면에 웃음의 힘을 이용하는 것 역시 스트레스 해소에 매우 효과적이다. 웃음은 마음의 상처에 바르는 연고와 같아, 우리의 정신을 밝게 하고, 우리의 감정을 안정시키며, 우리의 영혼을 치유한다. 실제로 2017년 한국의 한 연구에서는 웃음 요법이 스트레스 감소에 효과적이라는 것을 밝혔다.

이 모든 것은 정서적 안정을 위해 마음의 정원을 가꾸는 것이 중요하다는 것을 의미한다. 이것은 긍정적인 생각과 감사라는 꽃을 심고, 우정과 사랑의 나무를 가꾸는 정원을 말하는 것이다. 그 정원에서 스트레스라는 잡초를 뽑아내면, 우리는 마음의 평화를 찾을 수 있다. 심리학자 마틴 셀리드만은 이런 방법을 '긍정 심리학'이라고 불렀으며, 이는 사람들이 삶에서 긍정적인 경험을 극대화하는 방법을 연구하는 분야다.

따라서, 스트레스 해소와 정서적 안정은 우리의 삶에서 중요한 역할을 한다. 이를 위해 깊은숨을 쉬고 명상하며, 웃음과 긍정적인 사고를 증진하는 것이 중요하다. 이를 통해 우리는 스트레스의 파도를 넘어서 평온의 해안으로 항해할 수 있다.

우리의 삶은 이러한 과정을 통해 더욱 풍요로워진다. 우리의 삶은 이러한 과정을 통해 더욱 풍요로워진다. 이러한 과정을 통해 우리는 스트레스의 파도를 넘어서 평온의 해안으로 항해할 수 있다. 이러한 과정을 통해 우리는 삶의 중요한 부분에 대한 통찰력을 얻을 수 있다. 이는 우리의 삶을 더욱 풍요롭게 만들어 준다.

활기찬 노년을 위한 생활 전략

"인생의 황혼은 가장 빛나는 시간입니다." – 헬렌 켈러

- 건강한 식습관의 힘

"우리가 먹는 것, 우리가 선택하는 것, 그것은 우리의 삶 자체이다." 이것은 '건강한 식습관의 힘'이 주는 교훈이다. 이것은 단순히 올바른 음식을 선택하는 것 이상으로, 우리의 생명력을 촉진하고, 우리의 정신적 힘을 강화하며, 우리의 영혼을 풍요롭게 만드는 원천이다. 활기찬 노년을 위해서는, 매일의 식사가 그저 일상의 일부가 아니라 삶의 질을 전반적으로 향상하는 중요한 역할을 하는 것이 필수적이다.

① 영양의 균형

건강한 식습관은 다양한 영양소가 조화를 이루는 것에서 시작된다. 채소, 과일, 통곡물, 단백질, 그리고 건강한 지방의 균형 잡힌 섭취는 노년기의 활력을 유지하는 데 필수적이다.

② 맛과 건강의 조화

맛있는 음식을 먹는 즐거움과 건강을 동시에 추구하는 것은 가능하다. 건강한 식재료를 사용하여 맛과 영양이 풍부한 요리를 만드는 것은 삶의 큰 기쁨 중 하나이다.

③ 식사와 사회성

함께 식사하는 것은 사회적 유대감을 강화하고, 가족 및 친구들과의 관계를 더욱 깊게 한다. 건강한 식습관은 공동체와의 연결고리를 만들고, 세대 간의 대화를 촉진하는 중요한 수단이 된다.

이렇게 '건강한 식습관의 힘'은 단순한 음식 선택을 넘어서, 활기찬 노년을 위한 생활 전략의 핵심으로 자리 잡는다. 이는 우리 일상에 깊이를 더하고, 삶의 질을 향상하며, 노년을 더욱 풍요롭고 의미 있게 만든다.

따라서, 건강한 식습관의 중요성을 이해하는 것이 필요하다. 식습관은 우리의 행복과 만족도에 큰 영향을 미치며, 이는 노년의 풍요로움과 의미를 향상하는 원동력이 된다. 건강한 식습관은 우리의 전반적인 건강과 행복에 직접적으로 영향을 미치고, 일상을 활기차게 만든다. 그래서 식습관은 우리의 삶에 중요한 역할을 하며, 삶의 품질과 행복을 증가시키는 데 이바지한다.

- 마음의 젊음을 유지하기

'마음의 젊음을 유지한다'라는 것은 노년의 삶을 빛내는 중요한 비결이다. 이것은 시간의 무한한 흐름에 대항하여, 우리의 젊음을 유지하는 놀라운 전략이다. 이것은 단순히 일시적인 생각의 변화가 아니라, 삶의 방식과 태도, 그리고 우리의 일상생활에 대한 전체적인 접근 방식에 대한 복합적인 문제다. 이것은 우리가 어떻게 생각하고, 어떻게 행동하며, 어떻게 삶을 즐길 것인지에 대한 깊이 있는 고찰이 있어야 한다. 따라서 우리는 항상 젊은 마음을 유지하면서 삶을 더욱 풍요롭게 만들 수 있는 방법을 찾아야 한다.

마음의 젊음을 유지하기 위한 전략은 다양하다. 우선, 항상 배움의 자세를 갖는 것이 중요하다. 새로운 취미나 기술을 익히는 것은 마음에 신선한 활력을 불어넣는 것과 같다. 책을 읽거나, 온라인 강좌를 듣거나, 새로운 언어를 배우는 것은 마음에 다채로운 색을 그리는 것과 같다.

유명한 노벨문학상 수상자 가브리엘 가르시아 마르케즈는 76세에 새로운 언어인 이탈리아어를 배웠다. 그의 이야기는 노년이라는 시간의 흐름에도 불구하고 마음의 젊음을 유지할 수 있음을 보여주는 훌륭한 사례다.

다음으로, 친구들과의 정기적인 만남이나 모임을 통해 사회적 관계를 유지하는 것이 중요하다. 이는 마음에 활력을 주며, 삶에 대한 긍정적인 태도를 보이게 한다. 캘리포니아 대학의 한 연구에 따르면, 사회적 활동이 활발한 어르신들은 그렇지 않은 어르신들에 비해 더 적은 우울증 증상을 보였다는 사실이 밝혀졌다.

또한, 규칙적인 운동은 몸뿐만 아니라 마음도 젊게 유지하는 데 도움이 된다. 걷기, 요가, 댄스 등 자신에게 맞는 활동을 찾아 실천하는 것은 마음에 에너지를 불어넣는 것과 같다.

마지막으로, 긍정적인 사고를 유지하는 것은 마음을 젊게 유지하는 데 중요한 역할을 한다. 일상에서 작은 성공을 축하하고, 감사할 수 있는 순간을 찾는 것은 마음의 젊음을 유지하는 디딤돌이다.

이렇게 마음의 젊음을 유지하는 전략들은 노년을 활기차고 의미 있는 시간으로 만드는 데 이바지한다. 마음이 젊다는 것은 삶을 향한 열정을 잃지 않고, 항상 호기심을 갖고 세상을 바라보는 것을 의미한다. 시간은 우리의 외모를 변화시킬 수 있지만, 우리의 마음속 젊음은 영원히 변하지 않는다. 이것이 바로 '활기찬 노년을 위한 생활 전략' 중 '마음의 젊음을 유지하기'의 진정한 의미이다.

- 사회적 연결감 강화

사회적 연결감을 강화하는 것은 젊음을 유지하는 핵심 전략이며, 이는 젊음을 유지하는 것뿐만 아니라 인생의 깊이와 의미를 형성하며, 우리의 정신적 건강과 행복에 결정적인 영향을 미친다. "사람은 사람으로 인하여 사람이다"라는 유명한 명언이 사람이 사회적 동물임을 잘 보여주는 것이다. 우리는 다른 사람들과 깊고 의미 있는 관계를 통해 삶의 만족감을 얻고, 그 결과로 삶은 더 풍요로워진다.

예를 들어, 지역 사회의 행사나 모임에 참여하면 같은 관심사를 가진 사람들과 교류하는 좋은 기회가 생긴다. 이는 새로운 친구를 만들고, 서로의 경험을 공유하는 좋은 방법이며, 이러한 사회적 활동이 증가할수록 사람들의 행복감도 함께 증가한다는 연구 결과도 있다.

자원봉사 활동에 참여하면 사회에 긍정적인 영향을 미치며, 그 과정에서 다른 사람들과의 연결을 강화할 수 있다. 그로 인해 자기 삶에 대한 만족감과 보람을 느낄 수 있다. 사실, 미국의 한 연구에서는 자원봉사 활동이 사람들의 행복감을 높이는 한편, 건강을 개선하는 효과도 있다는 것을 보여주었다.

소셜 미디어는 멀리 떨어져 있는 친구나 가족과도 연결될 수 있는 훌륭한 도구이며, 이를 통해 정기적으로 소통하며 관계를 유지할 수 있다. 이러한 디지털 시대의 커뮤니케이션 도구를 활용하면, 사회적 연결감을 더욱 강화할 수 있다.

공통의 취미나 관심사를 가진 사람들과 만나는 동호회나 클럽에 가입하는 것도 사회적 관계를 강화하는 좋은 방법이다. 이를 통해 새로운 사람들을 만나고, 새로운 경험을 하는 데 도움이 될 것이다.

가족과 함께 시간을 보내는 것은 매우 중요하다. 가족은 우리의 삶에서 가장 중요한 사람들이며, 그들과의 관계는 우리의 삶을 풍요롭게 만드는 중요한 요소이다. 정기적인 가족 모임이나 여행을 통해 가족 간의 유대감을 강화할 수 있다.

사회적 연결감은 우리 삶의 품질을 높이고, 젊음의 힘을 유지하는 중추적인 요인이다. 이를 통해 우리는 건강하고 활력 넘치는 삶을 이어나갈 수 있으며, 이는 결국 개인의 행복과 만족도를 높인다. 이러한 연결감의 중요성을 인지하고 실천에 옮기는 것은 우리의 삶을 더욱 풍요롭고 의미 있게 만드는 첫걸음이다.

인생 2막의 행복한 시니어 힐링 강사

"나이는 숫자에 불과하다. 중요한 것은 마음의 나이다." -파블로 피카소

- 새로운 인연과 새로운 시작

새로운 인연은 마치 봄의 첫 꽃망울처럼 설렘이 가득하다. 우리는 종종 삶에서 예상치 못한 순간에 새로운 사람들을 만나고, 그들과의 만남이 우리의 삶에 새로운 색을 더해준다. 새로운 인연은 우리에게 새로운 관점을 제공하고, 우리가 알지 못했던 세계를 열어준다. 그들은 우리의 삶에 새로운 에너지를 불어넣고, 때로는 우리가 필요로 하는 변화의 바람을 가져다준다.

새로운 시작은 용기가 있어야 한다. 과거의 실패나 실수에서 벗

어나 새로운 도전을 시작하는 것은 쉽지 않은 일이다. 하지만 새로운 시작은 우리에게 무한한 가능성을 제공한다. 우리는 과거의 경험을 바탕으로 더 나은 미래를 설계할 수 있으며, 새로운 목표를 향해 나아갈 수 있다.

새로운 인연과 새로운 시작은 때로는 두려움과 불확실성을 동반한다. 하지만 그것들은 또한 성장과 발전의 기회를 가져다준다. 우리는 새로운 인연을 맺으며 배우고, 새로운 시작을 통해 우리 자신을 발전시킬 수 있다. 새로운 인연과 새로운 시작은 삶의 여정에서 빛나는 별과 같아, 우리의 길을 밝혀주고 우리를 새로운 모험으로 이끈다.

그러므로, 새로운 인연을 맞이할 때는 마음을 열고, 새로운 시작을 할 때는 용기를 가지고. 삶은 끊임없이 변화하고 발전하는 것이며, 새로운 인연과 새로운 시작은 그 변화의 아름다운 일부이다. 우리는 그 변화를 받아들이고, 그 안에서 우리 자신을 찾고, 우리의 삶을 더욱 풍부하게 만들어갈 수 있다.

 - 인생 2막의 시니어 힐링 작가

새로운 인연은 우리의 삶에 신선한 바람을 불어넣는다. 마치 봄의 첫 꽃망울처럼 설렘과 기대를 가득 안고 다가오는 새로운 인연은 우리에게 새로운 관점과 가능성을 제공한다. 우리는 종종 예상치 못한 순간에 새로운 사람들을 만나게 되고, 그들의 존재는 우리의 삶을 풍부하게 만들어 준다. 새로운 인연은 우리에게 우리가 몰랐던 세계를 열어주고, 때로는 우리가 필요로 하는 변화의 바람을 가져다준다.

새로운 시작은 용기가 필요하다. 과거의 실패나 실수에서 벗어나 새로운 도전을 시작하는 일은 쉽지 않다. 그러나 새로운 시작은 우리에게 무한한 가능성을 제공한다. 우리는 과거의 경험을 바탕으로 더 나은 미래를 설계할 수 있으며, 새로운 목표를 향해 나아갈 수 있다. 새로운 시작은 우리에게 두려움과 불확실성을 동반하지만, 동시에 성장과 발전의 기회를 제공한다.

미국의 유명한 작가 헬렌 켈러는 "삶은 도전의 연속이다. 도전이 없다면 삶은 의미가 없다"라고 말했다. 새로운 인연과 새로운 시작은 바로 이러한 도전의 일환이다. 우리는 새로운 인연을 맺으며 배우고, 새로운 시작을 통해 우리 자신을 발전시킬 수 있다. 새로운 인연과 새로운 시작은 우리의 삶을 더욱 풍부하고 의미 있게 만들어 준다.

예를 들어, 63세에 퍼스널 브랜딩을 시작한 한 시니어의 이야기를 들어보자. 그는 은퇴 후 편안한 삶을 포기하고, 새로운 도전에 나섰다. 퍼스널 브랜딩을 통해 자기 능력과 경험을 재조명하고, 새로운 가치를 창출했다. 이를 통해 그는 다른 사람들에게 영감을 주고, 사회적 가치를 전달할 수 있었다. 그의 이야기는 우리가 새로운 시작을 두려워하지 않고, 용기를 가지고 나아갈 수 있는 동기부여가 된다.

새로운 인연과 새로운 시작은 또한 우리의 네트워크를 확장하는 데 큰 도움이 된다. 우리는 새로운 인연을 통해 진정한 관계를 형성하고, 우리의 네트워크를 확장할 수 있다. 스티브 잡스는 자신의 가치와 미션을 이해하고 이를 세상에 전달함으로써 애플을 세계적인 브랜드로 성장시켰다. 이는 우리가 새로운 인연과 시작을 통해 얼마나 많은 성과를 이룰 수 있는지를 보여주는 좋은 예이다.

새로운 시작을 할 때는 용기를 가져야 한다. 과거의 실패나 실수에 얽매이지 않고, 새로운 도전을 시작하는 것은 쉽지 않은 일이다. 하지만 새로운 시작은 우리에게 무한한 가능성을 제공한다. 우리는 과거의 경험을 바탕으로 더 나은 미래를 설계할 수 있으며, 새로운 목표를 향해 나아갈 수 있다.

새로운 인연과 새로운 시작은 우리의 삶에 새로운 색을 더해준다. 우리는 새로운 인연을 맺으며 배우고, 새로운 시작을 통해 우리 자신을 발전시킬 수 있다. 새로운 인연과 새로운 시작은 우리의 삶을 더욱 풍부하고 의미 있게 만들어 준다.

결론적으로, 새로운 인연과 새로운 시작은 우리에게 새로운 관점과 가능성을 제공한다. 우리는 새로운 인연을 통해 진정한 관계를 형성하고, 새로운 시작을 통해 우리 자신을 발전시킬 수 있다. 이러한 과정은 우리의 삶을 더욱 풍부하고 의미 있게 만들어 준다. 새로운 인연과 새로운 시작을 두려워하지 않고, 용기를 가지고 나아가자. 이는 우리의 삶을 더욱 풍요롭게 하고, 사회적 가치를 창출하는 데 큰 도움이 될 것이다.
  - 인생의 황금기는 바로 지금, 이 순간이다.

시니어 강사들이 인생의 황금기를 살아가는 모습은 사랑과 우정으로 가득 찬 모습이다.

인생의 가을을 맞은 시니어 강사들은 마치 황금빛으로 물든 나무와 같다. 그들의 삶은 풍부한 경험과 지혜로 가득하며, 이를 둘러싼 사람들과 아낌없이 나눈다. 그들의 말 한마디에서는 따뜻한 사랑과 진심이 느껴진다.

시니어 강사들은 단순히 지식을 전달하는 것이 아니라, 삶의 멘토이자 친구이며, 때로는 가족과 같은 존재다. 그들은 삶의 의미를 탐구하고, 인간관계의 소중함을 일깨워주는 가르침을 주고받는다.

그들은 인생의 황금기가 먼 미래가 아닌, 지금, 바로 이 순간임을 가르쳐준다. 나이가 들어갈수록 우리는 더 많은 것을 이해하고, 더 깊이 사랑하며, 더 진정한 우정을 나눌 수 있음을 알려준다. 그들은 자신의 나이를 자랑스럽게 여기며, 각자의 황금기를 즐겁게 살아갈 것을 격려한다.

항상 희망과 긍정으로 가득 차 있으며, 그들의 존재 자체가 큰 영감을 준다. 그뿐만 아니라 사랑과 우정, 그리고 삶의 아름다움을 실천하는 살아있는 멘토다. 그들의 모습을 통해, 인생의 황금기가 바로 현재임을 강조하며, 우리 모두에게 삶을 즐기고, 매 순간을 소중히 여기라는 메시지를 전달한다.

"인생의 황금기는 바로 지금"이라는 말은, 우리가 살아가는 모든 순간이 지금이며, 그 순간 속에서 가장 값진 경험을 할 수 있는 시간이기 때문이다.

"행복은 우리가 언제나 미래에 미루는 것이 아니라, 지금, 이 순간을 최대한 살아가는 것"이라는 알랭 드 보통의 명언은 삶의 철학을 생각나게 한다.

대다수 사람은 행복이나 성공을 위한 최적의 시기가 미래에 있다고 생각하는 경향이 있다. 그러나, 지금, 이 순간을 소중히 여기지 않고 있다면, 끊임없는 불안과 불만에 사로잡혀 살아갈 수 있다.

롤랑 바르트는 이를 '미래지향적 태도'라고 명명하고, 이러한 태도가 '현재'를 간과하게 만든다고 주장한다. 그는 이를 극복하고 '현재'를 살아가는 방법을 제시한다.

유명한 작가 O. 헨리는 단편소설 '선물'에서 주인공이 현재를 충분히 즐기며 살아가는 모습을 그려내며, 인생의 황금기가 바로 지금, 이 순간이라고 강조한다.

우리는 이를 인지하고, 미래를 기대하는 대신 지금, 이 순간을 소중히 여기는 태도를 가질 필요가 있다. 이것이 우리가 현재 있는 곳에서 가장 행복하고, 가장 성공적인 삶을 이루는 데 필요한 핵심 요소다. 이를 통해 우리는 삶의 진정한 가치를 이해하고, 그 속에서 진정한 행복을 발견할 수 있다.

인생의 황금기를 살아가는 방법은 바로 이것이다. 따라서, 인생의 황금기는 바로 지금, 이 순간이다. 이것을 항상 기억하고, 그 순간을 삶의 중심에 두고 살아가는 것이 중요하다.

J 정은

날펴세로 대표 (날개를 펴자 세계적으로)
피아노 학원 20년 운영
카운셀러로 활동

6장

50, 60대 행운이 아닌 행복이다

행복은 목적지가 아니라, 당신이 삶의 여정을
걸어가며 만나는 것입니다."
- 로이 M 그링함

행복의 정의 50, 60 대의 새로운 관점

"행복은 목적지가 아니라 여정이다." - 아리스토텔레스

- 행복에 대한 개인적인 정의

"행복에 대한 개인적인 정의"는 우리 삶에서 중요한 역할을 합니다. 행복은 개인의 가치관, 경험, 목표에 따라 달라집니다. 개인적인 행복의 정의는 우리가 삶에서 무엇을 찾고, 어떤 경험을 중요하다고 생각하는지를 반영합니다.

개인적인 행복은 삶의 방향표라 할 수 있습니다. 어떤 사람은 가족과 친구들과 깊은 관계로 행복을 느끼며, 다른 사람은 새로운 경험을 추구하거나 개인적인 성취를 통해 행복을 느낍니다. 어떤 사람은 조용한 시간을 가치 있게 여기고, 다른 사람은 활동적인 시간을 중요하게 생각합니다. 이런 차이는 우리가 어떤 경험을 통해 행복을 느끼는지를

보여주며, 이를 통해 우리는 자신만의 행복을 찾아갈 수 있습니다.

행복은 삶의 다양한 면을 통해 찾을 수 있으며, 이는 개인의 가치관, 기대, 목표에 따라 다릅니다. 이를 이해하면 삶에서 행복을 찾는 길을 안내 받을 수 있습니다.

행복의 세 가지 주요 요소는 즐거움, 만족, 의미입니다. 우리는 즐거운 순간을 행복으로 인식하며, 이는 사랑하는 사람들과의 시간, 취미 활동, 휴식 등 즐거운 활동을 통해 느껴집니다. 그러나 장기적인 행복을 위해 만족과 의미라는 두 가지 추가 요소가 필요합니다. 만족은 삶의 여러 영역, 예를 들어 직업, 건강, 관계 등에서 얻은 경험을 종합적으로 고려하는 것입니다. 의미 있는 삶은 방향을 제시하고, 우리의 행동과 선택에 목적성을 부여합니다.

이 세 가지 요소는 행복의 구성 요소지만, 개인의 가치관, 욕구, 경험에 따라 개인의 행복을 정의하는 것은 다양합니다. 따라서, 행복에 대한 개인적인 정의는 변할 수 있습니다. 예를 들어, 처음 직장에 입사했을 때의 행복은 성공적인 경험, 프로모션, 높은 수입 등이 될 수 있지만, 가족을 이루게 된다면, 행복의 정의는 안정적인 가정생활, 가족과의 시간 등으로 바뀔 수 있습니다.

우리의 행복에 대한 개인적인 정의는 우리의 행동, 결정, 그리고 삶의 방향을 결정합니다. 이를 바탕으로 삶을 설계하고 의식적인 선택을 하는 것이 중요합니다. 이를 통해 우리는 자신이 행복을 느끼는 삶을 살아가고, 그 과정에서 성장하고 발전할 수 있습니다.

행복에 대한 개인적인 정의는 우리의 삶의 품질을 향상하는 데 중요한 역할을 합니다. 우리는 이를 통해 삶의 방향을 잡고, 삶의 목표를 설정하며, 삶의 의미를 찾습니다. 이는 삶에서 더욱 행복을 찾고, 그 행복을 유지하고 향상하는 데 도움이 됩니다.

행복에 대한 개인적인 정의를 이해하고, 이를 바탕으로 삶을 설계하고 의식적인 선택을 하는 것이 중요하다고 강조하였습니다. 이는 많은 시간과 노력이 필요하지만, 이 과정을 통해 우리는 우리 자신을 더욱 잘 이해하고, 우리의 삶에 대한 더 깊은 이해를 얻을 수 있습니다. 이는 우리가 삶에서 행복을 찾는 데 큰 도움이 됩니다.

- 사회적 행복의 기준과 50, 60대의 행복

"행복은 삶의 목적이며, 인간 존재의 목표이자 종착점이다." -아리스토텔레스

사회적 행복의 기준은 대체로 사회 전체의 가치관, 기대, 목표에 기반을 두고 있습니다. 이 기준은 안정적인 직장, 건강한 몸, 가족 및 친구들과 좋은 관계, 충분한 여가 활동 시간 등으로 구성됩니다. 이 요소들은 개인이 사회의 일원으로서 자신의 역할을 수행하고, 그 결과로 삶의 만족감을 느끼는 데 필요한 조건들을 제공합니다.

사회적 행복의 기준을 이해하는 것은 삶의 다양한 단계에서 어떻게 행복을 찾아 나가는지에 대한 중요한 통찰력을 제공합니다. 이를 통해 우리는 삶의 각 단계에서 무엇이 가장 중요한지, 어떤 것을 추구해야 하는지 깊은 이해를 얻을 수 있습니다. 이 과정에서 우리는 삶의 의미를 더욱 깊게 이해하고, 이를 통해 삶에서 더욱 행복을 찾게 됩니다.

그러나, 50, 60대의 중년기에 접어들면, 사회적 행복의 기준이 개인에게 그대로 적용되지 않는 경우가 많습니다. 이 시기에 사람들은 자신의 삶을 되돌아보며, 삶의 의미를 더욱 깊이 탐색하려는 경향이 있습니다. 이는 개인의 가치관과 욕구가 변화하고, 무엇을 중요하게 생각하고 어떤 것을 추구하는지에 대한 인식이 변화하는 시기입니다.

따라서, 50, 60대의 사람들은 행복을 찾는 방법에 대해 다른 시각을 갖게 됩니다. 이 시기에 사람들은 자기 삶에 대한 깊은 이해와 만족감, 그리고 개인적 충족감을 통해 행복을 찾게 됩니다. 자신의 삶을 통해 다른 사람들에게 긍정적인 영향을 미치는 것, 새로운 취미나 활동을 통해 삶의 질을 향상하는 것, 가족이나 친구들과 깊은 관계를 유지하고 발전시키는 것 등이 행복을 찾는 방법이 될 수 있습니다.

50, 60대의 행복은 또한 삶의 다양한 경험과 지혜를 통해 얻은 것입니다. 이 시기에 사람들은 자신의 삶을 통해 얻은 교훈과 경험을 바탕으로 삶의 의미를 찾아가게 됩니다.

따라서, 삶의 각 단계에서 행복을 찾는 방법에 대한 이해는 우리가 삶에서 행복을 찾는 방법을 더욱 명확하게 이해하고 적용할 수 있게 합니다. 이는 우리가 삶에서 더욱 행복을 찾을 수 있게 하는 중요한 첫걸음입니다.

행운에서 벗어나 행복을 찾아서

"행복은 이미 우리 안에 있다. 행운을 기다리는 대신, 우리가 가진 것에 감사하고 행복을 찾아라." - 헬렌 켈러

- 행운과 행복의 차이

"행운"과 "행복"은 자주 사용되는 용어이지만 중요한 차이가 있습니다. "행운"은 대체로 우리가 통제할 수 없는 외부 요인에 의해 발생하는 무작위 사건을 의미합니다. 로또 당첨이나 우리가 좋아하는 팀의 경기 승리, 면접에서의 선발 등은 외부의 힘, 즉 '행운'에 의해 결정됩니다. 행운은 때때로 좋은 결과를 가져다주며, 이 결과로 잠시의 기쁨이나 만족감을 느낄 수 있습니다. 그러나 행운은 일시적이고 변덕스러워, 이에 의존하는 것은 드물게 지속적인 행복을 가져다주지 않습니다.

반면, "행복"은 주관적이고 개인적인 경험으로, 우리의 내부 상태에 기반하며, 우리의 생각, 감정, 행동에 크게 영향을 받습니다. 행복은 삶에서 중요하게 생각하는 것들에 대한 만족감이나 즐거움을 나타냅니다. 이는 우리의 가치관, 생활 방식, 그리고 인간관계에 따라 결정됩니다. 행복을 느끼는 것은 삶의 일부분을 즐기고 가치 있게 여기는 능력을 의미합니다. 이는 삶의 특정 요소, 예를 들어 가족, 친구, 일, 취미 등에 대한 우리의 생각과 느낌에 따라 결정됩니다. 이 요소들은 우리의 통제와 영향 범위 안에 있습니다.

"행운"과 "행복"은 본질적으로 다른 개념입니다. 행운은 외부 요인에 의해 결정되는 반면, 행복은 우리의 내부 상태와 생각, 감정, 행동으로 결정됩니다. 행복은 복잡한 개념으로, 우리의 기대, 욕구, 목표, 가치관 등에 의해 영향을 받습니다. 행복은 좋은 일들이 일어나는 것뿐만 아니라, 우리의 삶이 어떻게 전개되고, 우리가 어떻게 그 삶을 경험하고 해석하는지에 크게 의존합니다.

우리의 삶에 대한 자신의 인식이 중요합니다. 우리의 삶을 어떻게 느끼는지는 대부분 우리 자신의 마음가짐에 의해 결정됩니다. 이는 우리가 삶을 어떻게 해석하고, 경험을 어떻게 가치 있게 여기는지에 따라 달라집니다. 일을 단순히 수입원으로 보는 사람과 그것을 자신의 열정이나 창조성을 표현하는 수단으로 보는 사람은 같은 활동을 하지만, 그 활동을 어떻게 해석하고 가치를 부여하는 방식에 따라 그들의 행복 수준은 크게 달라질 수 있습니다.

행복은 우리의 삶을 깊이 이해하고, 그 이해를 바탕으로 우리의 생각, 감정, 행동을 조절하는 과정입니다. 이는 우리 삶의 방향성을 결정하고, 삶의 품질을 향상하며, 삶에서 행복을 찾고 유지하는 데 중요합니다. 그러나 행복의 추구는 복잡한 과정입니다. 이는 개인의 노력만으로 이루어지는 것이 아니라, 우리를 둘러싼 환경, 사회적 맥락, 인간관계에 크게 영향을 받습니다. 따라서, 행복을 추구하는 것은 단순히 개인의 선택이나 노력에 의한 것이 아니라, 우리의 삶의 맥락을 이해하고, 그 맥락 속에서 우리의 선택과 행동이 어떻게 우리의 행복에 영향을 미치는지를 이해하는 과정입니다.

   - 행운에 의존하지 않고 행복을 찾는 방법

"행복은 준비된 사람에게 찾아오는 것이다." - 토마스 에디슨

   행복은 인간 존재의 궁극적인 목표로, 대다수 사람이 이를 삶의 주요 목표로 삼고 있습니다. 인간의 모든 행동과 선택은, 의식적이든 무의식적이든, 행복을 추구하는 데 이바지합니다. 재미있는 점은, 행복이라는 개념이 종종 외부의 행운에 의존하는 것으로 오해된다는 것입니다. 그러나 실제로 행복은 자신의 선택과 태도, 그리고 그것들이 만드는 일상의 순간들에 더욱 크게 좌우됩니다. 행운은 예측할 수 없으며 일시적일 수 있지만, 행복은 일상의 작은 순간들, 개인의 가치와 목표, 그리고 인간관계에서 찾을 수 있습니다.

   행복을 찾는 방법은 개인마다 다르지만, 몇 가지 공통적인 원칙이 존재합니다.

첫째, 삶에 대한 깊은 이해와 자기 인식을 가지는 것이 중요합니다. 이는 우리가 가치 있게 여기는 것과 삶에서 중요하게 생각하는 것을 파악하는 데 도움을 줍니다.

둘째, 일상의 작은 순간들에서 행복을 찾는 능력을 키우는 것도 필요합니다. 이는 사랑하는 사람들과의 관계, 취미, 열정 등에서 발견될 수 있습니다. 이런 순간들은 우리 삶을 풍요롭게 하고, 지속적인 행복의 원천이 될 수 있습니다.

셋째, 삶의 도전을 받아들이고, 이를 통해 성장하는 태도도 필요합니다. 어려움을 피하기보다는 도전을 통해 자신을 더 잘 알고 능력을 향상하는 것은 만족감과 행복을 찾는 데 중요합니다.

마지막으로, 삶에 의미를 부여하고 개인의 가치와 목표를 추구하는 것에 집중해야 합니다. 이는 삶에 대한 만족감과 행복을 느끼게 할 것입니다.

유명한 사례로 들면, J.K. 롤링은 어려운 환경 속에서도 긍정적인 태도를 유지하며 자신의 삶을 깊이 이해하고, 일상에서 작은 행복을 찾아 성공을 이끌었습니다. 그녀는 초기의 실패에도 불구하고 글쓰기에 대한 열정을 포기하지 않았으며, 결국 "해리 포터" 시리즈의 성공을 통해 진정한 행복을 찾았습니다. 그녀의 도전과 성공은 그녀가 자기 삶에 의미를 부여하고 개인적인 가치를 추구했음을 보여줍니다.

민권 운동가 마틴 루터 킹 주니어는 인종차별에 맞서 싸우며 자기 삶의 목표와 가치를 유지했고, 그 과정에서 행복을 발견했습니다. 그의 사례는 삶의 도전을 받아들이고 이를 통해 성장하는 태도의 중요성을 보여줍니다.

일론 머스크도 경제적인 어려움과 기술적인 난관을 이겨내면서 자신의 목표를 이루어냈습니다. 그는 이런 과정에서 성공의 기쁨을 느끼며 행복을 찾았다는 것입니다. 이는 결국 자신의 꿈을 향해 노력하고 그것을 이뤄내는 과정 자체가 큰 만족감과 행복을 주었다는 것을 의미합니다.

이러한 원칙들을 이해하고 적용하면, 우리는 행운에 의존하지 않고 진정한 행복을 찾을 수 있습니다. 이는 우리의 삶을 더 풍요롭고 의미 있게 만드는 데 큰 도움이 됩니다. 따라서, 행복이란 개인의 선택과 태도에서 비롯되며, 이를 통해 우리는 자신의 삶을 더욱 풍요롭고 의미 있게 만들 수 있습니다. 행복을 찾는 일은 쉽지 않지만, 그 과정 자체가 우리의 삶을 향상하고, 결국은 우리를 더 행복한 사람으로 만드는 중요한 일련의 과정입니다.

행복한 50, 60대를 위한 실천 방안

"나이는 숫자에 불과하다. 중요한 것은 마음의 젊음이다."
-파블로 피카소

- 자신만의 행복을 찾는 방법

행복은 개인에게 극히 주관적인 경험입니다. 각 개인은 다른 사람과 다른 삶의 경험이 있으므로 그들의 행복 역시 그렇습니다. 그런데도, 행복을 찾는 일은 우리 모두에게 공통적인 목표입니다. 한편, 행복을 찾는 방법은 우리 각자의 삶의 경험과 가치에 따라 달라집니다. 이 글에서는 자기 성찰, 가치 인식, 그리고 의식적인 행동을 통해 삶을 이해하고, 그 이해를 바탕으로 삶을 설계하고 행동하는 방법을 소개하겠습니다.

첫 번째 단계는 자기 성찰입니다. 이는 우리가 무엇을 원하고, 어떤 것에 가치를 두는지 이해하는 데 필요한 첫 번째 단계입니다. 이 과정에서는 우리의 감정, 생각, 행동 패턴, 그리고 우리의 삶이 어떻게 진행되고 있는지에 대해 깊이 생각해 보아야 합니다. 이는 우리가 자기 삶에 대한 더 깊은 이해를 얻을 수 있도록 돕습니다. 이러한 이해는 우리가 우리 자신에 대해 더 잘 알게 되고, 우리의 행복에 대한 개인적인 정의를 도출할 수 있게 해줍니다.

자기 성찰은 때때로 어려울 수 있습니다. 그 이유는 우리가 자신의 감정과 생각, 그리고 행동을 직면하는 것이 종종 불편함을 동반하기 때문입니다. 그러나 이러한 자기 성찰 과정은 우리가 자기 삶에 대한 보다 정확한 이해를 얻는 데 도움이 됩니다.

다음 단계는 가치 인식입니다. 가치는 우리가 삶에서 무엇을 가장 중요하게 생각하는지를 보여줍니다. 이는 우리가 어떤 경험을 가치 있게 여기고, 어떤 목표를 추구하는지를 보여줍니다. 가치 인식을 통해 우리는 삶의 방향을 설정하고, 삶의 목표를 설정할 수 있습니다. 이를 통해 우리는 우리의 삶에 대한 의미와 목적을 찾을 수 있습니다.

마지막 단계는 의식적인 행동입니다. 이는 우리가 어떤 행동을 통해 행복을 추구할 것인지, 어떤 결정을 내릴 것인지를 결정하는 데 도움이 됩니다. 의식적인 행동은 우리의 가치와 목표에 따라 삶을 설계하고, 그 설계를 실천하는 과정입니다. 이를 통해 우리는 삶의 의미를 실현하고, 자신만의 행복을 찾아갈 수 있습니다.

이 세 가지 단계는 자신만의 행복을 찾는 과정에서 중요한 역할을 합니다. 이 과정은 쉽지 않을 수 있지만, 그 과정 자체가 우리에게 큰 가치를 제공합니다. 이를 통해 우리는 자기 삶에 대해 더욱 깊이 이해하고, 삶의 의미를 찾아가며, 자신만의 행복을 찾아갈 수 있습니다.

- 행복한 삶을 위한 생활 습관

"행복은 우리가 생각하는 것만큼 멀리 있지 않다. 마음가짐에 달려 있다." - 톨스토이

행복한 삶을 살기 위한 다양한 방법들이 존재하지만, 그중에서도 몇 가지 핵심적인 생활 습관들이 특히 중요한 역할을 하는 것으로 알려져 있습니다. 이러한 습관들은 각자의 삶에서 행복을 구축하고 지속 가능하게 유지하는 데 큰 도움을 줍니다.

첫째로, 감사의 마음을 갖는 것이 매우 중요합니다. 매일 아침 일어나서 감사할 수 있는 것들을 찾아보는 것만으로도 우리의 행복감이 크게 향상될 수 있다는 것이 연구 결과로 밝혀져 있습니다. 이러한 습관은 우리가 이미 가지고 있는 것들에 대해 더욱 세심하게 알아차리게 도와주며, 이는 결국 우리의 삶에 대한 만족감을 증가시키는 효과를 가져옵니다.

둘째로는, 어떤 상황에서도 긍정적인 사고를 유지하는 것입니다.

힘든 상황이나 어려운 문제에 직면했을 때도 긍정적인 관점을 유지하려는 노력이 삶의 경험을 행복하게 만들 수 있습니다. 이러한 긍정적인 사고방식은 우리의 일상에 긍정적인 영향을 미치며, 우리를 더 행복한 사람으로 만들어 줍니다.

셋째로, 건강한 생활 습관을 유지하는 것이 행복에 큰 영향을 미칩니다. 규칙적인 운동, 균형 잡힌 식단, 그리고 충분한 수면은 신체적 건강뿐만 아니라 정신적 행복에도 크게 이바지합니다. 건강한 몸은 행복한 마음을 위한 강한 기반이 됩니다.

넷째로, 가까운 사람들과의 긍정적인 인간관계를 유지하는 것입니다. 가족이나 친구들과의 건강한 관계는 삶의 만족감을 높이고, 사회적 네트워크를 통해 새로운 경험을 얻는 것은 행복을 더욱 풍성하게 합니다.

다섯째로, 취미나 관심사에 투자하는 것입니다. 자신이 좋아하는 그것의 시간을 할애하고, 그것을 즐기는 것은 큰 즐거움을 주며, 삶의 다양성을 증가시킨다는 것이 연구 결과로 나타나고 있습니다.

여섯째로, 개인적인 목표를 설정하고 그것을 향해 노력하는 것입니다. 목표는 우리에게 동기를 부여하고, 삶의 방향성을 제공하며, 도전을 통해 성장할 기회를 줍니다.

마지막으로, 삶을 즐기는 것입니다. 매 순간을 충실히 살고, 그 과정에서 즐거움을 찾는 것이 행복한 삶을 유지하는 결정적인 요소입니다.

이러한 습관들을 일상생활에 통합하고 실천함으로써, 우리는 행복을 찾고 유지할 수 있습니다. 유재석은 그의 성공과 행복을 유지하는 방법으로 항상 긍정적인 사고와 건강한 생활을 유지하는 것으로 알려져 있습니다. 마찬가지로, 요리사 이수진은 자신의 취미를 직업으로 전환하여 열정을 삶의 중심에 두었고, 요가 강사 이나영은 규칙적인 운동과 건강한 식습관을 통해 행복한 삶을 영위하고 있습니다. 이들의 예는 건강, 관계, 취미, 그리고 긍정적인 마인드가 어떻게 행복을 뒷받침하는지를 잘 보여줍니다.

유경애

디노 공부방대표
dudrhkd3927@naver.com

경력
캔바 강사
치매예방 강사

7장

디지털 노마드, 필연의 시작
형편에 맞춘 새로운 도전

인터넷은 무한한 가능성의 바다다.

- 마크 주커버그

디지털 노마드의 기초

"다가올 10년의 변화가 지난 50년의 변화보다 더 클 것이다" - 빌 게이츠

- 디지털 노마드란?

디지털노마드는 인터넷과 디지털 기술을 활용하여 어디서든 업무를 수행하는 사람들이다. 이는 "일하는 장소에 구애받지 않는 자유로운 삶"을 추구하는 사람들에게 완벽한 삶의 방식이다.

"디지털노마드의 삶은 물리적인 사무실에서 벗어나 세계를 여행하면서 업무를 수행하는 것"이다. 디지털노마드의 장점은 다양한데, 첫째로 그들은 자신의 일정을 자유롭게 조절할 수 있는 자유를 누리게 된다. 둘째로 다양한 경험을 쌓을 기회를 얻게 되며, 이는 여러 나라를 여행

하면서 새로운 문화와 사람들을 만나는 기회를 의미한다. 셋째로, 사무실 공간을 빌리지 않아도 되므로 생활 비용을 절약할 수 있다.

미래학자 앨빈 토플러는 "미래의 사회는 국경 없는 세계가 될 것"이라고 예측했다. 이 말은 디지털노마드의 삶이 끝없는 가능성을 가지고 있다는 것을 시사한다. 디지털노마드는 지리적 제약을 넘어서는 능력을 갖추고 있으며, 그들은 물리적인 공간에 구애받지 않고, 전 세계 어디서든 업무를 수행할 기회를 얻게 된다.

2020년 코로나19 팬데믹 이후, 원격 근무의 중요성이 크게 드러나면서 디지털노마드의 삶이 더욱 주목받게 되었다. 이런 변화를 통해 디지털노마드는 미래의 삶의 방식이 될 가능성을 보여주고 있다.

프리랜서라는 단어는 중세 시대의 기사를 가리키는 말에서 유래되었다. 그들은 자신의 실력에 따라 선택받아 일하며, 어떠한 군주에게도 속하지 않았다. 오늘날의 디지털노마드도 마찬가지로, 그들은 자신의 업무와 일정을 자유롭게 관리하며, 어떠한 사무실에도 속하지 않는다는 점에서 유사점을 보인다.

결국, 디지털노마드란 자유롭게 세계를 여행하며 업무를 수행하는 사람들이다. 그들은 자신의 업무와 일정을 자유롭게 관리하며, 여러 나라를 여행하면서 다양한 문화와 사람들을 만나는 기회를 얻는다. 또한, 고정된 사무실 공간을 빌리지 않아도 되므로 생활 비용을 절약할 수 있다. 디지털노마드의 삶은 물론 어려움이 있을 수 있지만, 그것을 극복함으로써 얻을 수 있는 경험과 자유로움은 매우 큰 가치가 있다.

디지털노마드의 세계는 도전적이고 가혹할 수 있지만, 이는 새로운 경험과 배움을 통해 개인적인 성장을 이루는 뛰어난 기회가 될 수 있다. 디지털노마드로서의 삶은 자유와 독립을 추구하는 이상적인 모습을 보여주며, 이러한 삶의 방식을 실현할 수 있는 능력과 자세는 디지털노마드가 지닌 가장 중요한 자산이다.

- 온라인 비즈니스 모델

"디지털노마드의 시작"에서 중요하게 다루는 주제 중 하나는 '온라인 비즈니스 모델'이다. 이는 디지털노마드로서의 수익 창출과 생존 방식을 결정하는 핵심 요소이다.

온라인 비즈니스 모델은 인터넷을 플랫폼으로 활용하여 상품이나 서비스를 판매하고 수익을 창출하는 방식을 의미한다. 이는 전통적인 '오프라인' 비즈니스 모델과는 달리, 물리적인 공간이나 지역적 제한 없이 전 세계적인 규모로 확장할 수 있는 잠재력을 가지고 있다.

"인터넷은 무한한 가능성의 바다다."라는 마크 저커버그의 말처럼, 인터넷은 무한한 가능성을 제공한다. 디지털노마드로서 이런 가능성을 활용하는 것은 생존과 성공에 있어서 필수적인 요소이다.

온라인 비즈니스 모델의 대표적인 예로는 프리랜서, 온라인 강사, 디지털 마케터 등이 있다. 프리랜서는 자신의 전문 분야에서 일하면서, 클라이언트에게 서비스를 제공하는 형태로, 자신의 전문성과 능력만 있다면 어디서든 수익을 창출할 수 있는 자유로운 형태이다.

온라인 강사는 자신의 지식과 경험을 공유하며 수익을 창출하는 비즈니스 모델이다. 이는 인터넷이 전 세계적인 정보의 바다로 변화하면서 주목받고 있다.

또 다른 모델로는 디지털 마케터가 있다. 디지털 마케터는 인터넷과 디지털 기술을 활용해 상품이나 서비스를 홍보하고 판매한다. 이 모델은 전문적인 지식과 기술이 필요하지만, 그 보상은 매우 크다.

온라인 비즈니스 모델은 디지털노마드의 생존과 성공을 위한 핵심 도구이다. 하지만 이러한 모델을 선택하고 성공적으로 운영하기 위해서는 다양한 기능과 지식이 필요하다. 특히, 자기 관리와 원격 작업 기능은 디지털노마드로서의 핵심 역량이다.

"자기 관리는 성공의 열쇠다."라는 피터 드러커의 말처럼, 디지털노마드로서의 성공은 자신의 시간과 업무를 잘 관리하는 능력에 달려 있다. 이는 쉽지 않은 일이지만, 이를 통해 얻을 수 있는 자유와 독립은 무엇보다 값진 것이다. 디지털노마드의 삶은 어려움이 있을 수 있지만, 그것을 극복함으로써 얻을 수 있는 경험과 자유로움은 매우 크다. 이것이 바로 디지털노마드로서 '온라인 비즈니스 모델'을 선택하고 추구해야 하는 이유이다.

프리랜서는 자신의 전문 분야에서 프리랜서로 일하며 클라이언트에게 서비스를 제공한다. 온라인 강의는 자신의 지식을 공유하고 온라인 강의를 개설하여 수익을 창출한다. 어피리얼 마케팅은 다른 회사의 제품을 홍보하고 판매하여 수수료를 받는다.

- 자기 관리와 원격 작업 스킬

"열정은 성공의 열쇠, 성공의 완성은 나눔이다." - 워런 버핏

디지털노마드는 현대 사회의 변화를 주도하는 새로운 직업군이다. 이들은 전통적인 생활 방식을 깨뜨리고, 세계 어디에서든 일하며 살아가는 자유로운 삶을 추구한다. 이러한 자유를 즐기기 위해 디지털 노마드들은 '자기 관리'와 '원격 작업'이라는 두 가지 중요한 스킬을 필수적으로 갖추어야 한다.

디지털노마드는 자기 관리 능력으로 자신의 일정을 효과적으로 설정하고, 목표를 세우며, 그 목표를 효과적으로 달성한다. 일과 여가의 균형을 맞추는 것이 중요하다. 업무 시간에는 집중력을 유지하고, 휴식 시간에는 충분히 휴식을 취한다. 또한, 스트레스 관리 능력도 필요하다. 이를 위해 자신에게 맞는 스트레스 관리 방법을 찾아 꾸준히 실천한다. 게다가, 끊임없는 학습을 통한 자기 계발 능력도 중요하다. 새로운 지식을 습득하고 기술을 업그레이드하는 노력을 지속해서 해야 한다.

원격 작업 스킬도 디지털노마드가 원격으로 일할 수 있도록 해주는 필수적인 능력이다. 이를 위해 필요한 기본적인 기능은 디지털 도구 활용 능력과 원활한 커뮤니케이션 능력이다. 디지털 도구를 효과적으로 사용하여 문서 작성, 데이터 관리, 프로젝트 관리 등 다양한 업무를 수행한다. 더불어, 원격으로 일할 때는 팀원이나 클라이언트와 직

접 만나서 대화하기 어렵기 때문에 온라인 커뮤니케이션 도구를 활용한 원활한 의사소통 능력도 필요하다.

원격으로 일하면서 일과 휴식의 구분이 모호해질 수 있는데, 이 때문에 자기 관리 능력이 중요해진다. 일과 휴식 시간을 명확하게 구분하고, 작업의 우선순위를 정하며, 효과적으로 시간을 관리해야 한다. 마지막으로, 현대 사회가 빠르게 변화하는 상황에서 디지털노마드는 새로운 지식과 기술을 습득하고, 자기 주도적으로 학습하는 능력이 필요하다.

결국, 디지털노마드의 성공을 위해 필요한 기능은 다양하며, 이들 기능은 디지털 도구 활용 능력, 원활한 커뮤니케이션 능력, 자기 관리 능력, 자기 주도 학습 능력 등을 포함하고 있다. 이런 스킬들을 갖추는 것은 디지털노마드의 성공을 위한 중요한 요소라고 할 수 있다.

디지털 마케팅과 브랜딩

"가장 좋은 광고는 만족한 고객이다." - 필립 코틀러

- 디지털 마케팅 기초

디지털 마케팅은 온라인으로 제품이나 서비스를 홍보하고 고객을 유치하는 방법이다. 이를 위해 사용되는 기본 전략은 다음과 같다.

SEO (Search Engine Optimization): 검색 엔진 최적화를 통해 웹사이트의 노출을 높이고 트래픽을 유입시킨다.

SMM (Social Media Marketing): 소셜 미디어를 활용하여 제품이나 브랜드를 홍보하고 고객과 상호작용한다. 이를 위해 어떤 소셜 미디어 플랫폼을 사용할지 결정하고, 어떤 내용을 공유할지 계획하며 일관된 스타일로 게시하는 콘텐츠 전략이 필요하다.

콘텐츠 마케팅: 유용한 콘텐츠를 제공하여 고객의 관심을 끌고 브랜드를 강화하는 방법이다. 이는 디지털 마케팅 전략의 중요한 요소로, 고객에게 가치를 제공하고 브랜드 인지도를 높이는 데 도움이 된다.

- 디지털노마드의 소셜 미디어 활용

디지털노마드는 현대 사회에서 점점 더 많은 관심을 받는 라이프스타일이다. 디지털노마드는 인터넷과 디지털 기술을 활용하여 전 세계 어디서든 일할 수 있는 사람들이다. 이들은 고정된 사무실이나 특정 장소에 얽매이지 않고 자유롭게 이동하며, 자기 삶과 일의 균형을 맞추려 한다. 이 과정에서 소셜 미디어는 디지털노마드에게 필수적인 도구가 된다.

소셜 미디어는 디지털노마드가 자신의 브랜드를 구축하고, 네트워크를 확장하며, 새로운 기회를 찾는 데 중요한 역할을 한다. 예를 들어, 인스타그램, 유튜브, 트위터와 같은 플랫폼을 통해 자기 작업물을 공유하고, 팔로워들과 소통하며, 브랜드 인지도를 높일 수 있다. 이러한 활동은 디지털노마드의 전문성을 알리고, 새로운 프로젝트나 협업 기회를 얻는 데 큰 도움이 된다.

디지털노마드는 소셜 미디어를 통해 자신을 브랜딩할 때 몇 가지 중요한 전략을 고려해야 한다. 첫째, 일관된 브랜드 메시지를 유지하는 것이 중요하다. 이는 팔로워들이 쉽게 이해하고 기억할 수 있는 명확하고 일관된 메시지를 전달하는 것을 의미한다. 예를 들어, 특정 주제나 분야에 집중하여 콘텐츠를 제작하고, 그 주제에 관련된 정보와 경험을 공유하는 것이 좋다.

둘째, 진정성 있는 소통이 필요하다. 소셜 미디어에서는 팔로워들과의 소통이 매우 중요하다. 진정성 있는 소통은 팔로워들과의 신뢰를 쌓고, 더 깊은 관계를 형성하는 데 도움이 된다. 예를 들어, 팔로워들의 질문에 성실히 답변하고, 그들의 피드백을 반영하여 콘텐츠를 개선하는 것이 좋다.

셋째, 시각적 콘텐츠의 중요성을 인식해야 한다. 소셜 미디어에서는 시각적 콘텐츠가 매우 중요한 역할을 한다. 인스타그램과 같은 플랫폼에서는 고품질의 사진과 영상을 통해 팔로워들의 관심을 끌 수 있다. 예를 들어, 여행 중 찍은 아름다운 풍경 사진이나 작업 과정을 담은 영상을 공유하여 팔로워들의 호기심을 자극할 수 있다.

넷째, 소셜 미디어 광고를 활용하는 것도 좋은 전략이다. 소셜 미디어 광고는 특정 타겟 그룹에 효과적으로 도달하는 방법이다. 예를 들어, 페이스북 광고를 통해 특정 연령대나 관심사를 가진 사용자에게 콘텐츠를 노출할 수 있다. 이를 통해 브랜드 인지도를 높이고, 더 많은 팔로워를 확보할 수 있다.

마지막으로, 소셜 미디어 분석 도구를 활용하여 성과를 측정하는 것이 중요하다. 소셜 미디어 분석 도구를 통해 어떤 콘텐츠가 가장 많은 관심을 받았는지, 팔로워들의 반응이 어떤지 등을 파악할 수 있다. 이를 바탕으로 효과적인 전략을 수립하고, 콘텐츠를 지속해서 개선할 수 있다.

디지털노마드의 소셜 미디어 활용은 단순한 자기 홍보를 넘어, 자기 삶과 가치를 재조명하고, 새로운 기회를 창출하는 과정이다. 소셜 미디어를 통해 자신을 브랜딩하고, 네트워크를 확장하며, 더 나은 미래를 개척해 나갈 수 있다. 디지털노마드로서 소셜 미디어를 효과적으로 활용하는 것은 성공적인 퍼스널 브랜딩의 첫걸음이다.

결론적으로, 디지털노마드는 소셜 미디어를 통해 자신을 브랜딩하고, 새로운 기회를 창출하는 데 큰 도움을 받을 수 있다. 일관된 브랜드 메시지, 진정성 있는 소통, 시각적 콘텐츠, 소셜 미디어 광고, 그리고 소셜 미디어 분석 도구를 활용하여 성공적인 퍼스널 브랜딩을 이루어 낼 수 있다. 이를 통해 디지털노마드는 자신만의 독특한 브랜드를 만들어 나가고, 사회에 긍정적인 영향을 미칠 수 있다.

- 브랜딩과 콘텐츠 전략

브랜딩과 콘텐츠 전략은 현대 디지털 마케팅의 핵심이다. 브랜드는 단순히 기업의 이름이나 로고만을 의미하지 않는다. 브랜드는 소비자와의 관계를 통해 구축된 신뢰와 가치를 의미한다. 성공적인 브랜딩을 위해서는 일관된 메시지와 가치 전달이 필수적이다. 이를 위해 콘텐츠 전략이 중요한 역할을 한다.

콘텐츠 전략은 브랜드의 메시지를 전달하고 소비자와의 소통을 강화하는 데 중점을 둔다. 좋은 콘텐츠는 브랜드의 가치를 명확하게 나타내며, 소비자에게 유용한 정보를 제공해야 한다. 이를 위해서는 과녁 오디언스를 정확히 이해하고 그들의 니즈와 관심사를 반영한 콘텐츠를 제작해야 한다. 피터 드러커는 "모든 성공의 비결은 자신이 무엇을 잘할 수 있는지 알아내고, 그것을 가능한 한 최선을 다해서 하는 것에 있다"라고 말했다. 이는 브랜드가 자신의 강점을 파악하고 이를 콘텐츠로 표현하는 것이 중요함을 의미한다.

브랜딩의 첫걸음은 브랜드의 가치와 목표를 명확히 설정하는 것이다. 사이먼 시넥은 "스타트 위드 와이"에서 '왜?'라는 질문의 중요성을 강조했다. 브랜드가 존재하는 이유와 목표를 명확히 이해하는 것은 콘텐츠 전략의 기본이다. 브랜드의 핵심 가치를 바탕으로 콘텐츠를 제작하면 소비자에게 일관된 메시지를 전달할 수 있다. 예를 들어, 애플은 혁신과 단순함을 강조하며, 모든 콘텐츠에서 이러한 가치를 반영하고 있다.

효과적인 콘텐츠 전략은 다양한 형식의 콘텐츠를 포함해야 한다. 블로그 포스트, 비디오, 인포그래픽, 소셜 미디어 포스트 등 다양한 형식의 콘텐츠를 통해 소비자와 소통할 수 있다. 또한, 콘텐츠는 소비자의 여정에 맞게 배포되어야 한다. 초기 단계에서는 브랜드 인지도를 높이는 콘텐츠를, 중간 단계에서는 제품의 장점을 강조하는 콘텐츠를, 마지막 단계에서는 구매 결정을 돕는 콘텐츠를 제공해야 한다.

나이키는 뛰어난 브랜딩과 콘텐츠 전략으로 유명하다. 나이키는 "Just Do It"이라는 슬로건을 통해 도전과 성취를 강조하며, 이를 다양한 콘텐츠에서 일관되게 전달한다. 예를 들어, 나이키의 광고는 항상 운동선수의 도전과 성공을 담고 있다. 이러한 일관된 메시지는 소비자에게 강한 인상을 남기며, 나이키의 브랜드 가치를 높인다.

검색 엔진 최적화(SEO)는 콘텐츠 전략의 중요한 요소이다. SEO를 통해 콘텐츠가 검색 엔진 결과 상위에 노출되면 더 많은 소비자가 해당 콘텐츠를 접할 수 있다. 이를 위해 키워드를 적절히 사용하고, 메타 태그와 제목 태그 등을 최적화해야 한다. 예를 들어, 블로그 포스트의 제목과 본문에 타깃 키워드를 포함하면 검색 엔진에서 해당 포스트가 상위에 노출될 가능성이 높아진다.

브랜딩은 네트워킹에도 중요한 역할을 한다. 자신이 누구인지, 어떤 가치를 중요하게 생각하는지를 세상에 보여주는 것이 핵심이다. 이를 통해 진정한 관계를 형성하고 네트워크를 확장할 수 있다. 스티브 잡스는 자신의 가치와 미션을 이해하고 이를 세상에 전달함으로써 애플을 세계적인 브랜드로 성장시켰다.

브랜딩과 콘텐츠 전략은 현대 디지털 마케팅에서 필수적인 요소이다. 일관된 메시지와 가치를 바탕으로 한 콘텐츠는 소비자와의 관계를 강화하고 브랜드의 가치를 높인다. 이를 위해 타깃 오디언스를 정확히 이해하고 그들의 니즈와 관심사를 반영한 콘텐츠를 제작해야 한다. 또한, SEO를 통해 더 많은 소비자에게 도달할 수 있도록 최적화해야 한다. 브랜딩과 콘텐츠 전략을 통해 우리는 자신만의 독특한 가치를 창출하고, 사회에 긍정적인 영향을 미칠 수 있다.

이 글을 통해 독자들이 브랜딩과 콘텐츠 전략의 중요성을 이해하고,

이를 바탕으로 성공적인 디지털 마케팅을 펼쳐 나가기를 바란다. 브랜딩은 단순한 자기 홍보가 아닌, 삶과 가치를 재조명하는 과정이다. 이를 통해 우리는 자신만의 독특한 가치를 창출하고, 사회에 긍정적인 영향을 미칠 수 있다.

수익 모델과 성장 전략

먼저, 프리랜싱은 자신의 전문 분야에서 스킬을 제공하고 다양한 프로젝트에 참여하여 수입을 얻는 방식이며, 온라인 플랫폼에서 다양한 프로젝트에 참여하여 클라이언트로부터 수익을 창출할 수 있다. 이는 유연성이 높고 원격 작업이 가능한 모델이다.

멤버십 및 구독은 구독자, 시청자, 고객들에게 멤버십 또는 구독 서비스를 제공하여 지속적인 이익을 얻을 수 있는 모델이다.

온라인 강의 및 코칭은 전문 지식을 공유하고 강의 또는 코칭을 통해 수익을 창출하는 방식으로, 클래스 101, Udemy, Teachable 등의 플랫폼을 활용하여 강의를 제공할 수 있다.

광고 및 스폰서십은 블로그, 유튜브, 팟캐스트 등에서 광고를 통해 수익을 창출할 수 있는 모델이며, 블로그나 유튜브 채널을 운영하여 광고 수익, 후원, 제휴 등을 통해 이익을 얻을 수 있다. 또한, 콘텐츠 제작을 통해 브랜드를 구축하고 수익화할 수 있다.

디지털 제품 및 서비스 판매는 자신의 디지털 제품이나 서비스를 다양한 플랫폼을 통해 판매하여 수익을 창출하는 모델로, 자신의 지식, 스킬, 디지털 제품을 판매하여 수익을 얻을 수 있다. 예를 들어, 온라인 코스, 전자책, 소프트웨어 등을 판매할 수 있다.

또한, 클라이언트와의 관계 관리 방법과 프리랜서로서 성장하는 전략을 다루는 것이 중요하다. 의사소통, 프로젝트 관리, 계약 등을 효과적으로 수행하는 방법을 고려하고, 자신의 브랜드를 구축하고 포드폴리오를 개선하여 클라이언트에게 신뢰를 줄 수 있다. 클라이언트와의 관계 관리는 성공적인 프리랜서로서 중요한 요소다.

비즈니스 확장과 글로벌 시장 진출은 비즈니스 운영, 자원, 인력, 제품 및 서비스의 이동을 포함할 수 있으며, 글로벌 확장을 위한 전략과 마인드셋을 학습하면 더욱 성공적으로 성장할 수 있다.

"디지털노마드로서의 삶은 단순히 위치의 자유를 넘어서, 일과 삶의 균형을 재정의하고, 세계를 하나의 거대한 사무실로 바라보는 새로운 시각을 제공한다. 이동성과 기술이 결합한 이 생활 방식은 우리에게 끊임없는 성장과 학습의 기회를 제공하며, 무엇보다도, 우리 자신과 우리가 속한 세계에 대한 깊은 이해를 가능하게 한다. 디지털노마드가 되는 것은 단지 일하는 방식을 바꾸는 것이 아니라, 삶을 살아가는 방식을 혁신하는 여정이다."

디지털노마드는 지리적 제약 없이 원격으로 일하며 여행하면서 수익을 창출하는 개인이나 전문가로, 언제 어디서든 일할 수 있는 유연한 생활양식을 추구하는 사람들이다. 지금 도전해 보라

여원 이증숙

건강지킴이 강사, 작가
Jjsk6331@naver.com

경력

팔방미인 행복 스쿨 대표
황금 나무 아카데미 대표
사회복지사,
생활 스포츠 지도사
라인댄스 지도사
가요 전문 지도사
웰다잉 지도사
녹색환경 기후 변화지도사
건강지킴이 강사
크몽 연꽃 타로, 타로 마스터 상담사

저서

「삶을 변화시키는 작지만 위대한 책쓰기 외 6권

8장

청바지 인생, 청춘은 바로 지금부터!

청바지는 처음에는 굳고 단단하지만, 시간이
지남에 따라 자신의 몸에 맞춰져 가는 것처럼,
인생도 처음에는 어려움에 직면하게 되지만,
도전을 계속하면서 점차 성장하고 발전하는
과정이다"
- 에마뉘엘 마크롱

청바지 인생의 진정한 의미

- 낡은 청바지를 벗고 새로운 나를 만나다.

'낡은 청바지를 벗고 새로운 나를 만나다.'라는 몇 단어의 문장에는 모두에게 필요한 변화와 동기부여의 메시지가 담겨있다. '낡은 청바지를 벗고'라는 표현은 지금까지 살아온 삶과 그 안에 묻어있는 모든 습관, 관점, 그리고 제한을 탈피하는 의미로 해석된다.

사회가 우리에게 정해놓은 틀 속에서 살아온 우리는 모두 그 안에서 꿈과 열정, 가능성을 잃어가고 있었다. 이런 삶의 안정성에 만족하지 못하는 내면의 목소리가 새로운 가능성을 찾아 나서게 했다.

'청바지를 벗어 던지는 순간, 새로운 나를 만나게 된다.' 이것은 바로 우리에게 필요한 변화의 순간으로, 지금까지 살아온 삶의 틀에서 벗어나 새로운 길을 나아가기 위한 첫걸음을 내딛는 순간이다. 이 순간부터 자신만의 색깔로 빛나는 새로운 인생을 만나게 된다.

사회적인 기대와 제한에서 벗어나 자신만의 길을 개척하고 새로운 가능성을 찾아내는 것은 불안과 두려움, 어려움을 동반하지만, 이 모든 과정을 통해 우리는 자신만의 꿈을 찾아낼 수 있다. 이것이 바로 우리가 만들어가고자 하는 청바지 인생의 시작이다.

'청바지를 벗고 새로운 나를 만나다.' 이것은 과거의 실패와 좌절을 벗어던지고, 새로운 도전과 가능성을 향해 나아가는 우리 모두의 이야기로, 자신만의 독특한 색깔로 기존의 틀을 벗어나 새로운 길을 개척하고, 가능성을 찾아내자는 이야기다.

이것은 자신만의 청바지 인생을 만들어 가는 과정으로, 그 과정에서 실패와 좌절을 겪을 수 있지만, 이것들은 우리의 청바지 인생을 더욱 단단하게 만들어 준다. 그리고 그 과정을 통해 더 큰 꿈을 꾸고, 더 큰 도전을 하며, 더 나은 세상을 만들어 나갈 수 있다.

우리는 삶의 여정에서 다양한 경험을 하며 자신만의 인생을 만들어 나간다. 실패하고 좌절하기도 한다. 그러나, 그것들은 우리가 성장하고 발전하는 데 필요한 중요한 과정이다. 이러한 실패와 좌절을 통해 자신의 강점과 약점을 파악하고, 더 나은 방향으로 나아가기 위한 변화를 이해하게 된다.

그리고 이 변화하고자 하는 과정을 통해 우리는 자신만의 풋풋한 인생을 만들어가며, 그것을 통해 얻은 교훈과 경험을 바탕으로 더 큰 꿈을 꾸고, 더 큰 도전을 만들어간다. 자신만의 경험을 통해 삶을 더욱 풍요롭고 의미 있게 만들어 나갈 수 있다.

6080세대는 힘든 시대를 살아왔고 격변하는 시대의 흐름에 함께 가려면 힘겨운 선택을 해야 한다. 전후세대로 태어나서 격동의 세월을 지나 AI 인공지능과 함께 살아가야 하는 지금, 이 순간부터 변화를 받아들이고 새로운 도약을 하지 않으면, 망설이는 삶, 도전에서 멀어지는 삶, 움직이지 않는 도태되는 삶을 살 수밖에 없다. 안이하고 편안함을 원하며 살아간다. 진취적이지 못하고, 안주하는 기쁨으로 미래의 삶을 의식하지 못하고 그냥 그대로 오늘만 생각하는 편안함만을 원하게 된다. 미래 없는 오늘이 진정 원하는 삶일까. 그것이 안타까울 뿐이다. 힘들겠지만 생각을 바꾸면 더 큰 즐거움과 행복이 있다는 것을 알 수 있을 것이기 때문에 우리는 청바지의 삶을 원한다.

- 틀에 박힌 삶, 그리고 꿈을 향한 도약

체계적으로 살아가는 틀 안에서 이루어진 삶과 꿈을 향해 내딛는 도약, 이것이 바로 6080세대의 이야기라고 할 수 있다. 어릴 적부터 사회가 정해놓은 틀 속에서 생활을 배웠다. 학교에서는 획일적인 교육 시스템 속에서 올바른 행동과 필요한 지식을 가르쳤다. 그러나 이런 과정에서 꿈은 점차 멀어져갔다. 획일화된 교육 시스템과 정형화된 사회 시스템에 적응하며 개성이나 독창적인 생각이 묻혀버리는 사회에서 성장했다.

6080세대인 우리는 안정적인 직장생활을 꿈꿔왔다. 그러나 그 안에서의 만족감은 미미했다. 안에서의 목소리는 새로운 길을 찾아 헤매었다. 그러나 많은 이들은 한 달에 한 번의 달콤한 보상에 얽매여 꼼짝하지 못한 채 허공만 바라보다 주저앉고 마는 것이 현실이었다.

용기를 내어 직장을 그만두고 새로운 길을 선택했다. 그 길은 쉽지 않았다. 아무것도 모르는 상태에서, 좌절과 어려움을 겪었다. 그러나 결국에는 포기하지 않았다. 무슨 어려움이든 이겨낼 수 있다는 믿음을 가지고 끊임없는 노력과 학습으로 전문성을 키워나갔다. 그리고 혼자서 이루어낸 작은 성공들이 쌓이며 성장했다.

힘든 싸움 끝에 얻어 낸 새로운 가치는 기존 시장에서 차별화된 서비스로 경쟁력을 확보하였고, 고객과의 소통과 신뢰를 바탕으로 사업을 발전시켰다. 끊임없는 혁신과 도전으로 새로운 가능성을 점차 열어가고 있다.

청바지 인생의 진정한 의미는 자유와 책임의 공존에 있다고 할 수 있다. 타인의 시선에 얽매이지 않고 나만의 삶을 만들어 가는 것이다. 자유로운 시간과 공간 속에서 꿈과 열정을 실현하고 있다. 1인 기업가로서 책임감을 느끼며 나와 같이 힘들고 어려움을 겪는 이들에게 도움이 되기 위해 노력하고 있다.

- 새로운 가치 창출, 나만의 길을 개척한다.

"평범한 삶을 살아가면서도, 새로운 가치를 창출하며 자신만의 길을 개척할 수 있다."라는 말이 있다. 이 말은 우리 모두에게 소중한 교훈을 담고 있는데, 바로 우리 자신이 새로운 가치를 창출하며, 그 가치를 바탕으로 하여 새로운 길을 개척함으로써 이 세상에 우리만의 흔적을 남길 수 있다는 것이다.

새로운 가치를 창출하는 것은 무엇보다도 창의성과 독창성이 요구된다. 여기에는 우리가 보유하고 있는 지식과 경험, 그리고 그것을 바탕으로 한 독특한 아이디어와 독창적인 생각이 필요하다. 이런 과정을 통해 기존에 없던 새로운 가치를 창출해 낼 수 있으며, 그 가치는 우리가 걷고 있는 길을 더욱 특별하고 의미 있게 만들어 준다.

하지만, 새로운 가치를 창출하는 것만으로는 충분하지 않다. 그 가치를 바탕으로 하여 새로운 길을 개척하는 것이 중요하다. 새로운 길을 개척한다는 것은 그동안 걸어온 길에서 벗어나, 나만의 길을 걷는다는 것이다. 이는 용기와 결단, 그리고 끊임없는 도전정신을 요구하는 일이다.

새로운 가치를 창출하며, 그 가치를 바탕으로 새로운 길을 개척하는 것이 쉽지 않은 일이란 것을 너무도 잘 알고 있다. 어렵고 힘든 과정에서 우리 자신을 더욱 성장시킬 수 있으며, 이것이 우리 삶을 더욱 풍요롭게 만들어 주는 원동력이다. 이런 과정을 통해 자신만의 삶의 가치와 의미를 찾아가며 진정한 행복을 누릴 수 있다.

"두려움은 우리가 성장하는 것을 막는 가장 큰 장애물이다. 그러나 두려움을 극복하고 도전하는 요기를 가질 때, 우리는 무한한 가능성을 발견할 수 있다." 넬슨 만델라의 명언이다. 이 명언은 우리가 새로운 가치를 창출하며, 그 가치를 바탕으로 새로운 길을 개척하는 과정에서 늘 기억해야 할 중요한 메시지를 전달해 준다. 그것은 바로 우리가 두려워하지 않고, 끊임없이 도전하는 과정에서 우리 자신을 더욱 성장시켜야 한다는 것이다.

청바지 CEO, 성공을 위한 핵심 전략

- 명확한 비전과 목표 설정, 나침반을 손에 잡다

인생의 항해에서 가장 중요한 것은 명확한 목표 설정이다. 이는 우리가 어디로 가고자 하는지를 정하는 나침반이라 할 수 있다. 비전을 정의하는 것은 우리의 꿈을 구체화하는 과정이며, 그것이 바로 우리의 목표를 결정하게 한다. 결국, 목표는 비전을 달성하기 위한 구체적인 계획으로 변환되는 것이다.

목표 설정의 핵심은 구체성이다. 성과를 확인하고 평가할 수 있는 측정 가능한 목표를 세우는 것이 필요하다. 이를 위해서는 자신을 정확하게 파악하고, 내면과 대화하는 것이 중요하다. 목표 설정은 일회성의 행위가 아니라 지속적인 과정이며, 생활 환경과 조건은 항상 변하므로, 목표도 이에 맞춰 유연하게 변화해야 한다. 이를 위해 우리는 단기, 중기, 장기 목표를 설정하고 계속해서 점검하고 조정해야 한다.

명확한 비전과 목표 설정은 우리 삶의 중요한 역할을 한다. 이를 통해 우리는 방향을 잃지 않고 목표를 향해 나아갈 수 있다. 그렇게 함으로써 목표 달성은 우리의 꿈을 현실로 만들어 가는 중요한 동력이 된다.

인생에서 무언가를 원하고 이루고자 하는 목표를 가지는 것은 자연스러운 일이다. 그렇기에 우리는 무엇을 하고 싶은지, 어떤 목표를 달성하고 싶은지를 명확히 정의해야 한다. 이것은 바로 나침반을 설정하는 것이다. 우리가 어디로 가고 있는지, 어떻게 나아가고 있는지를 바라보는 것에서 나아가, 직접 '나침반'을 만드는 것이다.

단기, 중기, 장기 목표를 설정하고 계획을 세우는 것은 인생의 여정에서 중요한 단계다. 이는 마치 나침반을 손에 쥐고 길을 찾는 것과 같다. 이렇게 목표를 세우는 것이 바로 우리의 청춘을 만들어 가는 방법이다.

우리 인생의 유일한 상수는 변화다. 세상은 계속해서 움직이고, 우리의 삶도 그 변화에 맞춰 적응해야 한다. 이러한 변화에 유연하게 대응하고 목표를 조정하는 것이 중요하다. 유연성은 변화하는 환경에 적응하고, 새로운 기회를 찾아내는 데 필요한 중요한 능력이다. 그렇기에 우리는 단순히 목표를 세우는 것뿐만 아니라, 그 목표를 실행하고, 그 결과를 빠르게 평가하고, 필요에 따라 목표를 수정하는 능력이 필요하다.

- 효율적인 시간 관리, 순간순간을 최대한 활용한다.

효율적인 시간 관리는 삶을 풍요롭게 만드는 핵심 요소입니다. 이는 최대한으로 각 순간을 활용하게 해주고, 삶을 즐길 수 있게 돕는 도구이다.

시간은 한 번 지나간 후에는 되돌릴 수 없는 소중한 자원이다. 이 소중한 시간을 인식하고, 그에 맞는 계획을 세우는 것은 성공적인 삶으로 가는 첫걸음이다.

시간 관리는 단순히 시간을 조절하는 것이 아닌, 목표와 꿈에 이르는 과정에서 시간을 효율적으로 활용하는 것이다. 시간을 통해 삶을 설계하고, 그 설계에 따라 삶을 구현해 나가는 것이 가능하다. 이것을 가능하게 하는 것은 우리 자신이 설정한 시간 관리 전략이다.

시간 관리의 중요성을 이해한 사람들은 시간을 효율적으로 활용하여 목표를 달성하고, 꿈을 실현한다. 그들은 시간을 통해 삶을 풍요롭게 만들어내는 방법을 알고 있다. 이것이 바로 '효율적인 시간 관리'의 본질이다.

시간 관리를 효과적으로 하려면 명확한 목표 설정과 계획이 필요하다. 이는 시간을 효율적으로 활용하여 목표를 달성하고, 꿈을 실현할 수 있는 기반이 된다.

시간을 효율적으로 활용하는 것은 삶을 풍요롭게 만드는 방법이다.

시간을 통해 가치를 높이고, 성장의 기회를 찾을 수 있다. 시간을 통해 새로운 가능성을 열고, 꿈을 향해 나아갈 수 있다. 이것이 바로 '시간으로부터의 자유'의 중요성이다.

첫째로, 시간의 소중함을 깨닫고 계획적으로 시간을 관리해야 한다. 이것은 시간이 얼마나 소중한지를 알려주는 명언을 통해 시간이 단순히 흐르는 것이 아니라, 삶을 풍요롭게 만들어 주는 소중한 자원임을 깨닫게 된다.

시간의 효율적인 관리를 통해 어떠한 성과를 거둘 수 있는지 살펴보면, 계획적인 시간 관리는 생산성을 높이고, 스트레스를 줄이며, 더 많은 여가를 확보해 준다. 이는 이론이 아닌 실제 사례를 통해 확인된 사실이다.

'시간의 소중함을 깨닫고 계획적으로 시간을 관리한다.'라는 원칙은 단순히 시간을 아끼는 것이 아니라, 삶을 좀 더 풍요롭고 가치 있는 것으로 만들어 주는 중요한 원칙이다. 이 원칙을 기억하며, 시간을 효율적으로 활용하여 꿈을 향해 나아가야 한다. 이것이 바로 청바지 인생을 만드는 최고의 방법이다.

청바지 정신, 꿈을 향한 끊임없는 도전

- 좌절과 어려움을 극복하는 힘, 넘어질 때마다 일어서다.

　인생에서는 각기 다양한 어려움과 좌절을 만나게 되지만, 이들은 우리가 강화되고 성장하는 기회로 작용한다. "사람은 실패에서 배운다"라는 웨인 허치슨의 명언이 가리키는 바와 같이, 이러한 어려움과 좌절을 경험하며 우리는 더 큰 성공을 창출할 수 있다. 실패는 성공으로 향하는 거친 길이고, 이는 유명한 발명가인 토머스 에디슨의 삶에서도 확인할 수 있다. 그는 천 번이 넘는 실패를 겪었지만, 그 실패를 극복하고 전구를 발명하게 되었다. 그의 말, "나는 실패한 적이 없다. 단지 1만 가지 방법을 찾은 것뿐이다."라는 그의 끈질긴 노력과 실패라는 어려움을 극복하는 힘을 강조하고 있다. 이는 실패나 어려움을 극복하는 힘이 얼마나 중요한지를 보여주는 최상의 사례로, 우리에게 큰 교훈을 제공한다.

어려움을 극복하는 데에는 믿음이 중요한 역할을 수행한다. 어떤 어려움에도 맞서기 위해서는 우리 자신이 그 어려움을 극복할 수 있다는 확고한 믿음이 필요하다. 이는 헬렌 켈러의 명언, "자신을 믿어라. 그것이 성공의 시작이다."에서도 드러나는 사실이다. 이런 믿음이 어려움을 극복하는 데 얼마나 중요한 역할을 하는지는 여러 연구에서도 입증되었다. 특히, 2019년에 "Psychology Today" 저널에서 발표된 연구는 자신감이 높은 사람들이 어려움을 극복하는 능력이 더 우수하다는 결과를 보여주었다. 그래서 우리는 어떤 어려움이든 이길 수 있다는 확신을 두고, 그 믿음을 바탕으로 자신감을 키워야 한다.

어려움을 극복하는 데 가장 큰 힘은 절대로 포기하지 않는 것이다. 이것은 어떤 상황에서도 절대로 지지 않는 강인한 의지와 연결되어야 하며, 이것이 바로 도전의 정신이다. 이런 도전정신은 어떤 어려움이든 이길 수 있게 해주며, 목표를 달성하는 데 있어 가장 중요한 역할을 수행한다. 이는 개인의 성장과 발전을 위한 필수 요소이며, 자기 능력을 향상하고, 경험을 쌓는 데 큰 도움이 된다. 사실, 2011년에 뉴욕타임스지가 보도한 한 연구에 따르면, 실패한 후에도 포기하지 않고 계속해서 도전하는 사람들이 더 큰 성공을 이루었다는 결과를 보여줬다. 이 연구는 우리에게 포기하지 않고 계속해서 도전하는 것의 중요성을 재정립하는 데 큰 역할을 수행했다.

모든 것이 순탄하게 흘러가는 것은 아니고, 삶의 과정에서는 여러 어려움이 우리를 기다리고 있다. 결국, 이러한 어려움을 겪을 때마다 절망에 빠지지 않고 장애물을 극복하려는 힘을 기르는 것이 중요하다는 사실을 인지해야 한다. 어려움을 마주했을 때 그것을 극복하려는 노력은 우리를 더욱 성장시키고, 그 결과로 더 큰 성공을 얻을 수 있게 만든다. 이런 과정을 통해 우리는 자신의 한계를 넘어서고, 더 나은 내일을 만들어간다. 이것이 바로 '좌절과 어려움을 극복하는 힘, 넘어질 때마다 일어서는 능력'의 진정한 의미다.

  - 끊임없는 성장과 발전, 배우는 자세를 유지한다.

  끊임없는 성장과 발전, 배우는 자세를 유지한다는 것은 우리가 살아가는 동안 중요한 원칙 중 하나를 담고 있다. 성장은 선택이 아닌 필수이며, 우리의 발전을 위해 배우는 자세는 항상 유지되어야 한다. 시작은 어렵지만, 일단 시작하고 나면 그 과정 자체가 즐거움으로 변한다.

  "만약 우리가 배우는 것을 멈춘다면, 우리는 죽는 것과 다름없다."라는 말은 이를 아주 잘 설명하고 있다. 성장과 배움은 우리의 삶을 풍요롭게 만들어 주며, 우리를 더 나은 사람으로 만들어 준다. 그래서 항상 배우는 자세를 유지하고, 끊임없이 성장하고 발전해야 한다.

  이러한 성장의 과정은 매우 중요하다. 이 과정을 통해 새로운 것을 경험하고, 자신을 더 잘 이해하게 되며, 대인관계, 직무 수행, 그리고 삶의 다른 모든 영역에서 성공을 이룰 수 있다.

  이를 달성하기 위해 끊임없는 학습을 추구해야 한다. "지식은 힘이다."라는 아리스토텔레스의 명언은 지식의 중요성을 일깨워주는 말이다. 그러나 지식을 얻는 것만으로는 충분하지 않다. 우리는 그것을 실제 생활에 적용하고, 그것을 통해 더 나은 세상을 만들어 나가는 데 기여 해야 한다.

고정관념에 얽매이지 않고, 새로운 것을 수용하며, 실패를 두려워하지 않는 자세가 필요하다. 이러한 자세는 우리에게 새로운 가능성을 열어준다. 새로운 아이디어와 방법, 그리고 해결책을 찾아낼 수 있다. 이러한 자세는 더 나은 미래를 만들어가는 데 필요한 도구를 제공한다.

이러한 성장과 발전은 희망과 기쁨을 준다. 자신이 성장하고 발전함으로써, 삶의 목표와 꿈을 이루어 나갈 수 있다는 확신을 갖게 된다. 이러한 확신은 우리에게 힘과 용기를 준다.

따라서, 우리는 끊임없는 성장과 발전을 추구하고, 배우는 자세를 유지해야 한다. 이것이 바로 청바지 인생의 핵심이다. 바로 꿈을 향해 나아가는 길이다.

- 청춘은 바로 지금, 주저하지 말고 시작하라

"청바지 정신, 꿈을 향한 끊임없는 도전"이라는 주제는 우리 모두의 삶에 공감각을 불러일으키고, 희망을 불어넣는 이야기이다. 이 이야기는 프랑스의 대통령 에마뉘엘 마크롱이 설명한 "청바지 정신"을 연상시킨다. 그는 "청바지는 처음에는 굳고 단단하지만, 시간이 흐름에 따라 자기 몸에 맞춰져 가는 것처럼, 인생도 처음에는 어려움에 직면하게 되지만, 도전을 계속하면서 점차 성장하고 발전하는 과정"이라고 설명했다.

어릴 적부터 꿈을 가지고 세상에 나아가려는 도전정신을 강조한다. 이를 나타내기 위해 넬슨 만델라의 명언인 "꿈은 불가능하지 않다. 단지 시간이 좀 더 걸릴 뿐"을 인용하면서, 모든 사람이 어릴 적부터 꿈을 가지고 세상에 나아가려는 도전정신을 가지고 있다고 강조한다.

도전하는 과정에서 겪는 실패와 좌절을 언급한다. 미국의 발명왕 토머스 에디슨의 명언인 "나는 실패한 적이 없다. 나는 단지 1만 가지 방법이 작동하지 않았을 뿐이다."를 인용하면서, 실패를 겪는 것은 성공으로 가는 길목에 있는 중요한 단계임을 강조한다.

도전을 통해 성장하고 발전하는 과정을 설명한다. 성장의 중요성에 대해 알베르트 아인슈타인의 명언인 "일단 멈추어서는 안 된다. 성장하고 싶다면 계속 움직여야 한다"를 인용하면서, 도전을 통해 계속 성장하고 발전하는 과정이 중요하다는 것을 강조한다.

도전을 통해 새로운 가치를 창출하고 사회에 이바지하는 과정에 관해 설명한다. 사회적 기여의 중요성에 대해 마틴 루터 킹 주니어의 명언인 "누구나 위대하게 될 수 있다. 왜냐하면 누구나 봉사할 수 있기 때문이다"를 인용하면서, 도전을 통해 새로운 가치를 창출하고 사회에 이바지하는 과정이 중요하다는 것을 인정한다.

청바지 정신을 보여주고, 이 정신은 꿈을 향한 도전을 계속해 나가는 청바지 인생의 시작이자 끝임을 강조한다. 이런 청바지 인생을 살아가는 모든 사람에게 희망과 용기를 불어넣고 싶다는 메시지를 전한다. "청춘은 바로 지금이다. 주저하지 말고 시작하라. 나이가 많다는 이유만으로 두려워하지 말고 도전하라. 실패를 두려워하지 말고 적극적으로 행동하라", 끊임없는 노력과 열정으로 꿈을 향해 나아가는 것이 중요하다는 메시지를 전달한다.

정솜결

강연, 작가
정솜결꿈성장연구소대표
sjjung1028@naver.com

경력

한국지식문화원 대표강사
출판지도사, 블로그강사

저서

「글쓰기를 시작합니다」
「삶을 변화시키는 작지만 위대한 책 쓰기」
외 다수

9장

50대 엄마의 변신. 온라인 성공과 가족 사랑의 깨달음

인간은 관계 속에서 발전한다.

- 존 던

온라인 1인 기업 도전의 계기

- 자녀 독립 후 새로운 인생 설계

자녀가 독립한 후에 시작된 새로운 인생 설계는 빈 둥지 증후군이 종말을 의미하지 않는다는 사실을 입증한다. 삶의 한 장을 뒤집어보면, 50년 동안 주부로 살아온 나는 연년생 두 아들이 20대 성년이 되어 독립하는 것을 지켜봤다. 이제는 자신만을 위한 삶을 펼치기 위한 시간이다. "인생은 50에 시작된다."라는 말이 있듯이 나만의 꿈을 발견하고 그 꿈을 향해 새로운 여정을 시작했다.

새로운 삶을 창조하는 데 필요한 요소들은 무엇일까? 작은방에 두 아들이 남겨놓은 노트에 적힌 '50 이후 정솜결 인생 프로젝트'라는 글에서 그 해답을 찾을 수 있다. 인생의 두 번째 장을 시작하는 전략은 다음과 같다.

첫 번째 전략은 자아 발견의 여정이다. 소크라테스의 말처럼 "자신이 되고 싶은 사람이 되기 위해 먼저 자신이 누구인지 알아야 한다." 자신을 재발견하는 것이 모든 여정의 시작이다. 가정과 자녀에게 헌신하며 잊혔던 자신의 꿈과 열정을 되짚어보는 시간이 필요하다. 그 시간은 단순한 자기반성이 아니라, 새로운 인생 목표를 설정하는 과정이다.

두 번째 전략은 교육과 학습이다. 개리 볼스의 말대로 "삶이 있는 한, 학습은 계속된다." 배움에는 끝이 없다. 새로운 분야에 대한 지식과 기술을 습득함으로써, 자기 잠재력을 극대화할 수 있다. 온라인 강좌부터 지역 커뮤니티의 교육 프로그램까지, 배움의 기회는 무궁무진하다.

세 번째 전략은 네트워킹과 소통이다. 존 던의 말처럼 "인간은 관계 속에서 발전한다." 새로운 사람들을 만나고 자기 생각과 경험을 공유하는 것은 성장의 핵심 요소이다. 취미 활동이나 자선 활동, 직업 관련 모임에 참여함으로써, 동질감을 느낄 수 있는 새로운 친구들을 만날 수 있다. 새로운 사람들과의 만남은 사회적 네트워크를 확장하는 것뿐만 아니라, 새로운 관점과 아이디어를 제공한다.

네 번째 전략은 건강과 웰빙이다. 버질의 말처럼 "건강은 진정한 부이다." 정신적, 육체적 건강은 새로운 시작을 위한 기초이다. 규칙적인 운동, 영양가 있는 식사, 그리고 충분한 수면은 새로운 도전에 대비할 수 있도록 지원한다.

다섯 번째 전략은 목표 설정이다. 피츠제럴드의 말처럼 "목표 없는

삶은 항해 없는 배와 같다." 목표는 나아갈 방향을 제시한다. 단기 목
표에서부터 장기 목표까지, 자신만의 속도로 차근차근 이루어 나가는
것이 중요하다.

여섯 번째 전략은 실행과 인내이다. 로버트 콜리어의 말처럼 "성공은
일상의 적은 노력이 쌓여 이루어진다." 꿈을 현실로 만드는 것은 실행
에서 시작된다. 매일의 작은 성공들이 모여 큰 성공으로 이어진다. 인
내와 끈기는 이 긴 여정에서 핵심 덕목이다.

마지막 전략은 끝없는 도전이다. 매일 아침이면 '정솜결 그동안 애썼
어. 사랑한다.' 외치고 시작한다. 하루하루가 새로운 발견과 도전으로
가득 차 있다. "인생은 끝없는 발견의 여정이다."라는 말처럼 자신의
삶을 주도적으로 이끌어간다.

확실히, 새로운 시작은 언제나 설렘과 동시에 두려움을 동반한다.
50세의 주부가 새로운 꿈을 향해 나아가는 여정은 알을 깨고 나오는
병아리와 같다. 그 길은 때로는 외롭고 험난할 수도 있다. 그러나 엄
마가 아닌 자신이 진정 원하는 것을 찾기 위한 여정에서 오래전에 잊
혔던 자신의 취미와 열정을 다시 발견하게 된다.

- 기존 경험과 전문성 활용하기

기회의 문을 두드리는 과정에서 세상은 끊임없이 변화하며, 그 변화
속에서 새로운 기회가 탄생했다. 가정주부로서 집안에서 두 아들을 키
우던 나는 온라인 세계로 첫발을 내디며, 단순한 일상을 넘어서는 새

로운 가능성의 문을 열었다. "인터넷은 새로운 기회의 땅"이라는 말이 디지털 세계의 본질을 잘 표현한다. 이 세계는 나이를 불문하고 모두에게 열려 있어, 미래를 개척하는 데 있어 중요한 첫걸음이 된다.

50대가 온라인 사업에서 누릴 수 있는 큰 장점 중 하나는 바로 삶의 경험이다. 이 나이에는 다양한 사회적, 가정적 경험을 통해 얻은 지혜와 노하우가 있어, 이를 온라인 사업을 통해 누구보다 강력한 콘텐츠로 재창조할 수 있다.

온라인 사업에서 자기 경험이 노하우가 되는 이유는 다음과 같다.

첫 번째로, 경험과 노하우가 디지털 세계에서 빛난다. 가정주부로서 일상처럼 가족을 위해서 식사를 준비했다. 이러한 요리와 가정 경영에 대한 지식을 바탕으로 블로그와 유튜브 채널을 개설했다. 그녀의 요리 레시피나 가정 팁은 단순한 정보의 전달이 아닌, 오랜 세월 동안의 시행착오와 성공담을 통해 검증된, 신뢰할 수 있는 지식이 되었다.

두 번째로, 소통의 힘이 중요하다. 디지털 세계에서의 공감대 형성이 중요하다. 50대는 다양한 세대와 소통할 수 있는 독특한 위치에 있어, 자신들의 경험을 통해 젊은 세대에게는 조언자의 역할을, 또래나 더 나이 많은 세대에게는 공감대를 형성할 수 있는 친구가 될 수 있다. "공유는 가장 강력한 연결고리"라는 말처럼, 커뮤니티는 온라인 사업의 성공을 이끄는 중요한 요소가 된다. 이러한 깊이 있는 소통은 온라인 사업에서 고객과의 강력한 유대감을 형성하는 데 큰 도움이 된다.

세 번째로, 지속적인 학습과 성장이 중요하다. 50대에 온라인 사업을 시작하는 것은 새로운 학습의 여정이다. 디지털 마케팅, SNS 운영, SEO 최적화 등은 처음에는 어려울 수 있지만, 이러한 새로운 도전은 자신의 성장에 큰 동기를 부여한다. "배움에는 끝이 없다"라는 말처럼, 지속적인 학습은 50대가 온라인 사업에서 지속 가능한 성공을 이루는 데 필수적이다.

네 번째로, 용기와 도전이 필요하다. 새로운 세상을 다가가는 아름다움도 있지만, 50대에 온라인 사업을 시작하는 것은 큰 용기가 필요하다. 그런데도 이 나이에 도전하는 것은 새로운 시작의 아름다움을 발견하는 과정이 될 수 있다. 자신이 원하는 것을 추구하며 새로운 분야에 도전하는 것은 단순히 사업적 성공을 넘어서 자기 자신에 대한 신뢰와 만족을 가져다준다.

따라서, 50대 가정주부가 온라인 사업을 통해 자기 경험과 노하우를 공유하며 성공하는 과정은 단순한 사업적 성공의 이야기가 아니다. "미래는 지금, 이 순간에 의해 결정된다."라는 말처럼 나이와 상관없이 누구나 온라인 세계에서 새로운 시작을 할 수 있으며, 도전과 성장을 통해 자신만의 성공을 이룰 수 있다.

온라인 1인 기업 운영의 실제

- 온라인 1인 기업 블로그 운영과 콘텐츠 제작

새로운 시작은 두려움과 설렘이 동반하는 것이다. 우리의 삶은 끊임없는 시작과 마무리의 연속이다. "블로그를 해봐"라는 지인의 말에 힘입어 온라인에서의 시작은 블로그 작성이었다. 50대에 접어든 나이에서 블로그를 시작하는 것은 단순한 취미를 넘어, 새로운 삶의 페이지를 여는 행위였다.

블로그를 시작하면서 남편과의 일상 글을 썼고, 일상과 평범한 50대 부부의 경험을 바탕으로 한 글은 동년배 이웃들에게 공감이 되었다는 댓글이 남겨졌다. "인생은 50부터"라는 말처럼, 뜻하지 않은 블로그를 통해 새로운 꿈을 키우고 실현해 나갈 수 있었다.

블로그를 시작하면서 어떻게 글을 써야 할지 모르겠다는 수강생의 질문이 많았다. 블로그를 2년 이상 쓰면서 나만의 팁을 알려주려고 한다. 성공적인 블로그 운영을 위해 가장 중요한 것은 정직함과 진정성이다. 블로그 시작은 기술적인 지식보다는 자신만의 이야기를 어떻게 풀어낼지에 대한 고민에서 시작된다.

블로그는 단순한 정보 전달 수단이 아닌, 자신의 삶을 보다 풍부하고 의미 있게 만드는 도구이다. 온라인에서 새로운 인생을 열어가고, 그 과정에서 얻은 경험과 지혜를 나누며 함께 성장해 나간다. 이 글을 통해 독자들도 자신의 이야기를 세상과 나누고, 새로운 도전을 시작할 용기를 얻기를 바란다.

- 고객 관리와 수익 창출

공감과 신뢰의 구축이 답이다.

50대 가정주부가 온라인 1인 기업을 운영하며 겪는 실패와 시행착오는 결코 시간의 낭비가 아니라, 가장 소중한 자산으로 변형할 수 있다. 이러한 경험들은 삶의 다양한 단계를 경험하며 고객의 필요와 감정을 깊이 이해하고, 이를 사업에 적극적으로 반영한다.

50대의 나이는 다양한 세대와 소통하는 데 있어 강력한 장점이 되며, 자기 경험을 바탕으로 젊은 세대부터 또래 세대까지 폭넓게 공감대를 형성한다. 이는 온라인 사업에서 고객 관리와 마케팅 전략을 수립할 때 큰 강점으로 작용한다. 그런 경험 덕분에 모든 메시지와 콘텐츠를 통해 진정성을 전달하며, 고객과의 신뢰를 쌓아 나간다.

50대 가정주부가 온라인 사업을 시작하기까지 디지털 마케팅, SNS 운영, 웹사이트 관리 등 새로운 기술을 배우는 과정은 쉽지 않지만, 끊임없이 학습하며 자신의 한계를 넓혀나간다. 이러한 긍정적인 자세는 새로운 기회를 발견하고, 자신만의 사업을 성공적으로 이끌어가는 원동력이 된다.

나는 50대 가정주부로 살아왔던 경험을 통해 배운 공감 능력을 사업에 적용하여 고객의 처지에서 생각하고, 그들의 요구에 귀 기울이며, 진심을 담아 소통한다. 고객과의 신뢰를 구축하는 것은 시간이 걸리지만, 일단 신뢰 관계가 형성되면 이는 강력한 충성도로 이어진다.

50대 가정주부로 살았던 나만의 독특한 경험과 지식을 살려 차별화된 가치를 고객에게 제공한다. 이를 통해 시장에서의 경쟁력을 확보하며, 지속 가능한 수익 모델을 구축한다.

게다가 누구나 지켜보며 알고 있겠지만 끊임없는 변화를 겪는 디지털 세계에서 지속적인 학습과 자기 발전을 강조한다. 새로운 트렌드를 파악하고, 최신 마케팅 기법을 습득하는 것은 사업의 성장을 위해 필수적이다.

온라인 사업은 나에게 자아실현의 여정이다. 초기의 두려움과 불확실성을 극복하고, 비즈니스를 성공적으로 운영하면서 나의 내면에 숨겨진 힘과 자신감을 재발견한다. 이 과정은 삶의 다른 영역에서도 더 큰 도전을 감행하고, 새로운 목표를 세우는 데 큰 도움이 된다.

50대 엄마만의 성공 노하우

- 도전정신과 열정의 중요성

"시작이 비록 미미할지라도, 그 끝은 창대하리라." - 욥 8:7

도전은 시작의 다른 이름이라 할 수 있다. 온라인 사업에 처음 발을 디딜 때, 배워야 할 것이 많았다. 처음으로 캔바, 미리 캔버스, 줌, 오픈 카톡방 운영 등의 도구에 서투르게 다루어 보았다. 그러나 그저 시도해 보는 마음으로 이를 학습하며 성장의 기회로 삼았고, 그 과정에서 실수도 많이 해보았지만, 그 실수들은 결국 나를 더 단단하게 만드는 계기가 되었다.

SNS 도구 학습의 중요성은 다음과 같다.

첫째, 커뮤니케이션의 확장 - 온라인 도구들은 사람들과의 소통의 범위를 넓혀준다. 줌을 통해 전 세계 어디서든 고객과의 미팅을 진행할 수 있게 되었다.

둘째, 브랜드 인지도 증가 - 캔바와 미리 캔버스를 이용해 전문적인 디자인을 만들어 SNS에 공유하면서 브랜드 인지도를 키웠다.

셋째, 효율적인 시간 관리 - 오픈 카톡방을 통한 신속한 피드백과 정보 공유로 시간을 효율적으로 관리할 수 있게 되었다.

넷째, 네트워킹 기회 증가 - 다양한 온라인 플랫폼을 통해 새로운 비즈니스 기회와 파트너십을 찾아낼 수 있게 되었다.

다섯째, 고객 접근성 향상 - SNS 도구들을 활용하여 고객과의 접점을 늘리고, 그들의 요구에 더 잘 대응하게 되었다.

온라인 도구들을 배우는 것은 단순히 기술적인 스킬을 넘어서, 본인의 사업을 어떻게 더 넓은 관점에서 바라볼 수 있는지에 대한 통찰력을 제공한다.

"적은 노력이 모여 큰 성공을 이루게 된다." - 오프라 윈프리. 초기에 작은 실수들과 학습 과정을 통해, 점차 온라인 사업을 성장시키는 토대를 마련하였다. 이 과정에서 온라인 플랫폼의 힘과 소셜 미디어 도구들이 자신의 사업에 얼마나 큰 영향을 미칠 수 있는지를 깨달았다.

이제는 초보자였던 시절을 떠올리며, 같은 길을 걷고 있는 이들에게 격려의 메시지를 전하고 싶다. "실패를 두려워하지 마세요. 각각의 실패는 여러분을 성공으로 한 발짝 더 가까이 이끕니다. 중요한 것은 포기하지 않고, 계속해서 배우는 것입니다."

온라인 사업은 끊임없는 학습과 발전을 요구한다. "지식은 힘에 해당하며, 배움에는 끝이 없다."라는 말처럼, 나도 평범한 가정주부에서 출발하여 온라인 세상에 들어와 새로운 기술과 트렌드를 지속해서 학습하며 성장하고 있다. 지속적인 학습은 우리가 계속 변화하는 세상에서 생존하고 번영하는 데 필수적이다.

우리는 모두 실패를 통해 배우고, 그 배움을 통해 성장할 수 있다. 그 과정을 통해 각자의 사업이나 목표를 향해 끊임없이 전진하며, 결국은 성공의 길로 나아갈 수 있을 것이다.

- 가족의 지원과 응원의 힘

"가족은 우리의 작은 세계이며, 가장 큰 힘이다."라고들 한다. 이는 50대 가정주부인 내가 온라인 1인 기업으로 성공하기까지의 여정을 잘 요약한다. 가족의 지지와 응원은 그녀에게 끊임없는 동기부여를 준다. 이는 단순한 격려가 아니라 실질적인 지원과 긍정의 에너지로 변환되어, 갓 시작한 온라인 사업을 더욱 빛나게 한다.

온라인에서 오픈 카톡방 운영을 시작하기 전, 불안과 두려움은 누구에게나 찾아온다. 하지만 "너라면 할 수 있다."라고 하는 가족의 한마

디가 나에게 용기를 준다. 이 용기가 나에게 자신의 한계를 뛰어넘어 도전하게 하는 힘을 준다.

이렇게 50대 가정주부인 나는 자기 경험과 노하우를 바탕으로 온라인에서 1인 기업을 운영하며 성공의 길을 걷는다. 이러한 성공의 배경에는 가족의 무한한 지지와 응원이 자리 잡는다. "가족은 당신이 날개를 펼칠 수 있게 해주는 바람"이라는 말처럼, 가족의 응원은 성공으로 가는 길에 있어 강력한 동력이 된다. 가족의 지지는 실패에 대한 두려움을 줄이고, 새로운 도전을 향한 용기를 부여한다.

온라인 사업은 혼자서는 해결할 수 없는 문제들이 많다. 가족은 온라인 사업의 모든 측면에서 지원을 아끼지 않았다. 가족 구성원 각자가 자신의 역할을 찾아 힘을 보탰다.

물론, 오픈 카톡방 운영하며 가족 간의 의견 충돌이 발생하기도 한다. 하지만 이러한 충돌은 서로를 더 잘 이해하고 온라인에서 1인 사업을 발전시키는 기회가 된다. 가족의 다양한 관점이 사업에 새로운 아이디어와 통찰력을 더한다.

온라인에서 블로그 강의, 오픈 카톡방을 운영하며 1인 기업가로 성장함에 따라 가족도 함께 성장한다. 사업을 통해 가족 구성원 각자가 책임감과 협동심을 배운다. 이 과정에서 가족은 더욱 단단해지고, 1인 기업가로 가족의 사랑과 헌신 위에 더욱 견고하게 세워진다.

온라인에서 블로그 강사, 오픈 카톡방 대표, 글 쓰는 사람으로 변화되는 모습을 보고 24살 아들은 가족회식 중에 엄마가 세상에서 가장 멋지다고 한다.

아들이 속삭이며 했던 말은 가족의 힘과 지지가 얼마나 중요한지를 다시 한번 일깨워준다. 가족은 가장 큰 지지자이자, 성공으로 가는 길에서 불가능을 가능으로 바꿔주는 힘이 된다. 가족의 응원과 지지 속에서 더 큰 꿈을 꿀 수 있으며, 그 꿈을 현실로 만드는 힘을 얻는다.

온라인에서 1인 기업가로 성장하며 그 과정을 가족과 함께 나누는 것은 무엇보다 큰 기쁨이다. 성공은 개인의 성과가 아닌, 가족 모두의 노력과 헌신의 결과이다. 이러한 공유의 순간들이 가족을 더욱 가깝게 만든다.

온라인 사업은 지리적 제약을 넘어서는 무한한 가능성을 제공한다. 가정에서 시작된 사업이 전 세계로 확장될 기회를 제공하는 것이다. "인터넷은 작은 목소리도 멀리 전달한다."라는 말처럼, 온라인 사업은 개인의 경험과 노하우를 전 세계와 공유할 수 있는 플랫폼이다. 가족의 응원이 있기에, 좀 더 커다란 꿈을 상상해 보며 도전한다.

조은애

글루동안연구소 대표
conea252@naver.com
금호라이프 상조 여행 크루즈 여행 전문 컨설턴트

경력

전) 남광병원 간호사
전) 미모미모 미용실 원장
전) 광주권홍커트 아카데미원장
출판지도사, 책쓰기, 전자책 강사
장중경 한의대 재학중
캔바로 3시간만에 책쓰기 강사
반영구화장 강사
동안연구소 강사

저서

'10년 젊어지는 비법' 외 4권

10장

50대 엄마의 변신. 온라인 성공과 가족 사랑의 깨달음

혼자 가면 빨리 가지만, 함께 가면 멀리 간다

꿈과 돈! 1인 지식창업으로 이룬 성공 이야기

- 50대, 새로운 도전의 시작

50대는 인생의 황금기이다. 많은 사람은 이 시기에 안정된 삶을 추구하지만, 오히려 새로운 도전의 출발점이 될 수 있다. "인생의 가장 큰 위험은 위험을 무릅쓰지 않는 것이다"라는 말처럼, 50대에 새로운 도전을 시작하는 것은 우리의 삶을 더욱 풍요롭게 만든다.

나는 50대 후반에 프리랜서로 일하며 SNS에 관심을 가졌다. 처음엔 두려웠지만, 나의 비전에 따라 계속 도전했다. 진천 협업학교에서 2년 동안 컴퓨터를 배웠고, 이제는 강남협업학교에서 계속 배우고 있다. 캔바를 이용해 전자책 작성을 가르치며, 매일 전자책을 작성하고 있다. 이는 50대에서도 새로운 도전으로 성공할 수 있다는 것을 보여주는 증거다.

50대는 지혜와 경험의 결합 시기다. 젊음의 열정과 에너지에 삶의 경험과 지혜가 더해져 새로운 도전에 큰 힘이 된다. 간호사 경력과 미용실 및 피부관리실 경영 경험을 바탕으로 지혜로운 결정을 내리며 사업을 성장시켜 "나이는 단지 숫자에 불과하다"라는 말을 증명한다.

현대 사회는 빠르게 변화하고, 기술의 발전은 무한한 가능성을 제공한다. 따라서 50대에서도 새로운 기술을 배우고 활용할 수 있다. 이러한 이유로, 온라인 강의 플랫폼을 통해 지식을 공유하고, 지속적인 학습을 통해 시대의 흐름에 맞춰 나간다.

창업의 성공 비결은 돈이 아닌 가치를 추구하는 것이다. "가치 있는 일을 하면 돈은 자연스럽게 따라온다"라는 신념으로 사업을 성장시키고 있다. 성공의 비결은 진정한 가치를 제공하는 것에 있다.

성공적인 창업을 위해서는 명확한 목표 설정이 필요하다. 목표는 우리의 행동을 이끄는 방향키와 같다. 고명환은 "5년 안에 100만 명에게 긍정적인 영향을 미치겠다"라는 목표를 세웠다. 그는 이 목표를 이루기 위해 매일 꾸준히 노력한다. 목표 설정은 우리의 행동을 구체화하고, 그 행동이 열매를 맺을 수 있도록 도와준다. 나도 고명환을 멘토로 삼아 따라 하기에 열중이다.

지속적인 학습과 자기 계발은 성공적인 창업의 필수 요소다. 능력을 향상하고, 새로운 지식을 습득하여 사업에 적용해 성공을 이루려고 한다. 항상 배우는 자세를 유지하는 것이 중요하다.

성공적인 창업을 위해서는 자신만의 강력한 무기가 필요하다. 자신만이 가지고 있는 콘텐츠를 통해 필요한 자원을 빠르게 확보하고, 사업을 확장할 수 있다. 콘텐츠는 사업을 강화하고 다양한 기회를 제공한다. 따라서 새로운 사람들과의 만남을 소중히 여기고, 이를 통해 브랜드를 확장하는 것이 중요하다.

- 지식창업의 무한한 가능성

지식창업은 현대 사회에서 무한한 가능성을 제공한다. 이는 단순히 제품을 생산하거나 서비스를 제공하는 것이 아니라, 자신의 전문성을 바탕으로 새로운 가치를 창출하는 것이다. "지식은 힘이다"라는 프랜시스 베이컨의 명언처럼, 지식창업은 개인의 지식을 활용하여 세상을 변화시키는 힘을 지니고 있다.

대표적인 사례로 고명환을 들어 살펴본다. 그는 자신의 풍부한 경험과 지식을 바탕으로 지식창업을 시작했다. 초기에는 어려움도 많았지만, 끊임없는 노력과 열정으로 성공을 거두었다. 고명환은 자신의 강연과 저술 활동을 통해 많은 사람에게 영감을 주고 있으며, 그의 이야기는 지식창업의 무한한 가능성을 잘 보여준 예라 하겠다. 나도 고명환을 따라 한다. 나는 여자 고명환이 되겠다는 목표로 뛰고 있다.

지식창업은 적은 자본으로도 시작할 수 있다. 이는 초기 투자 비용이 많이 들지 않는다는 점에서 큰 장점이 있다. 나는 작은 강의와 소규모 출판을 통해 지식창업을 시작했다. 조 마담 책방으로 온라인 서점을 열었다. 나의 지식을 나누면서 점차 더 큰 기회를 얻게 되는 경험을 하고 있다. 결국 대규모 온라인 교육 플랫폼을 운영하게 될 것이다. 이 과정은 누구나 작은 시작으로 큰 꿈을 이룰 수 있다는 것을 보여줄 수 있다.

지식창업의 핵심은 지식의 공유에 있다. 자신의 지식을 다른 사람들과 나누면서 새로운 가치를 창출하는 것이다. 나는 지식을 다양한 방식으로 공유했다. 아침 시간을 이용하여 온라인 강의, 세미나, 책 출판 등을 통해 많은 사람에게 가치를 제공했다. 이런 사례는 지식이 나눌수록 더욱 커지는 자산이라는 것을 잘 보여준다.

지식창업에서 중요한 것은 지속적인 학습과 자기 계발이다. 현대 사회는 빠르게 변화하고 있으며, 새로운 지식을 습득하지 않으면 도태될 수 있다. 새로운 지식을 습득하고, 이를 사업에 적용했다. 그는 "배움에는 끝이 없다"라는 신념으로 끊임없이 자기 계발을 하며, 이를 통해 사업을 성장시켰다.

성공적인 지식창업을 위해서는 강력한 네트워크가 필요하다. 이는 사업의 성공을 돕는 중요한 자산이다. 다양한 사람들과의 네트워크를 통해 필요한 자원을 신속히 확보한다. 사업도 확장할 수 있었다. 네트워크는 우리의 사업을 더욱 강력하게 만들고, 다양한 기회를 제공한다. 따라서 항상 새로운 사람들과의 만남을 소중히 여기고, 이를 통해 자신의 열렬한 팬을 확장하는 것이 중요하다.

- 목표 설정과 지속적인 성장

목표 설정은 성공의 첫걸음이다. "목표가 없는 사람은 방향을 잃은 배와 같다"라는 말처럼, 명확한 목표는 우리의 삶과 사업에 방향성을 제공한다. 목표를 설정함으로써 우리는 무엇을 이루고자 하는지, 어떤 길을 걸어야 하는지를 명확히 알 수 있다.

유명한 고명환의 사례를 통해 목표 설정의 중요성을 알아보자. 고명환은 "5년 안에 100만 명에게 긍정적인 영향을 미치겠다"라는 구체적인 목표를 세웠다. 이 목표는 그의 모든 행동과 결정을 이끄는 지침이 되었다. 그는 매일 그 목표를 이루기 위해 작은 목표들을 설정하고, 이를 달성하기 위해 끊임없이 노력했다. 그의 사례는 목표 설정이 얼마나 중요한지를 잘 보여준다.

작은 목표들은 궁극적인 큰 목표를 이루는 데 중요한 역할을 한다. 작은 목표를 달성함으로써 우리는 점점 더 큰 성취를 이룰 수 있다. 고명환은 매일의 작은 목표를 통해 큰 목표를 향해 나아갔다. 그는 매일 일정 시간 동안 강의 준비를 하고, 새로운 콘텐츠를 개발하며, 끊임없이 자신의 역량을 강화했다. 이러한 작은 목표들이 모여 결국 큰 성공을 이룰 수 있었다. 매일 1%씩 성장한다.

목표를 달성하기 위해서는 지속적인 성장이 필수적이다. 매일 한 권의 책을, 쓰기를 실행하도록 한다. 일단은 다량으로 승부를 걸어보기로 했다. 현대 사회는 빠르게 변화하고 있으며, 이에 적응하기 위해서는 끊임없는 학습과 자기 계발이 필요하다. 우리는 지속적인 학습을 통해 자신의 지식과 기술을 향상해야 한다. 새로운 트렌드와 기술을 배우고, 이를 자신의 사업에 적용하여 성공을 거둔다.

실패는 두려워해야 할 것이 아니라, 성장의 기회로 받아들여야 한다. 나도 수많은 실패를 경험했다. 그러나 그는 실패를 통해 배움을 얻었고, 이를 바탕으로 더욱 성장할 수 있었다. "실패는 성공의 어머니"라는 말처럼, 실패를 두려워하지 않고 이를 통해 성장하는 자세가 필요하다.

성공적인 성장을 위해서는 강력한 네트워크가 필요하다. 다양한 사람들과의 네트워크를 통해 필요한 자원을 확보하고, 새로운 기회를 발견할 수 있었다. 네트워크는 우리의 성장을 돕는 중요한 자산이다. 따라서 항상 새로운 사람들과의 만남을 소중히 여기고, 이를 통해 자신의 네트워크를 확장하는 것이 중요하다.

목표를 설정하고 지속적인 성장을 이루기 위해서는 자신을 믿고 끊임없이 도전하는 자세가 필요하다. 자신의 가능성을 믿고, 어떠한 어려움에도 굴하지 않고 끊임없이 도전한다. "자신을 믿는 사람만이 성공할 수 있다"라는 말처럼, 자신의 가능성을 믿고 도전하는 것이 중요하다.

같은 생각을 하는 사람과 함께 하면 더 빠른 성장을 할 수 있다.

경험과 연륜을 무기로 하는 5080 지식 창업가들의 출사표

- 풍부한 경험을 활용한 창업 전략

50대에서 80대에 이르는 지식 창업가들에게 있어, 경험은 최고의 자산이다. "경험은 배움의 어머니"라는 말처럼, 풍부한 경험은 창업의 성공을 위한 견고한 토대가 된다. 오랜 시간 동안 쌓아온 간호지식과 미용업의 실무 경험은 단순히 나이 듦의 결과가 아니라, 성공적인 창업을 위한 강력한 무기이다.

유명한 정현미의 사례는 경험이 어떻게 창업의 성공을 이끄는지 잘 보여준다. 그녀는 30년간의 교육 경력을 바탕으로 창업을 시작했다. 처음에는 두려움과 불안이 있었지만, 그녀는 자기 경험을 믿고 이를 최대한 활용했다. 그녀의 성공은 단순히 운이 아니라, 오랜 시간 쌓아온 경험을 통해 이루어진 것이다.

경험은 창업가에게 전략적 사고를 가능하게 한다. 나의 경험을 바탕으로 시장의 흐름을 읽고, 이를 바탕으로 전략을 세운다. 과거의 성공과 실패를 통해 얻은 교훈을 바탕으로, 더 효율적인 방법을 찾고, 이를 적용하여 성공을 거둔다.

경험은 성공뿐만 아니라 실패를 통해서도 쌓인다. 실패는 두려워할 대상이 아니라, 배우고 성장할 기회이다. 정현미는 여러 번의 실패를 겪었지만, 이를 통해 많은 것을 배웠다. 그녀는 실패를 통해 자신의 약점을 보완하고, 더욱 강력한 창업가로 거듭날 수 있었다. "실패는 성공의 어머니"라는 말처럼, 실패를 통해 얻은 경험은 창업의 중요한 자산이다. 나는 실패를 많이 해보았다.

경험은 지속적인 학습과 자기 계발을 통해 더욱 빛난다. 자기 경험에 안주하지 않고, 끊임없이 새로운 지식을 습득하고, 자신의 역량을 강화했다. 그녀는 "배움에는 끝이 없다"라는 신념으로, 항상 새로운 도전을 받아들였다. 그녀의 지속적인 학습과 자기 계발은 창업의 성공을 위한 중요한 요소였다.

자기 경험을 다른 사람들과 나누고, 이를 통해 더 큰 가치를 창출했다. 강연과 저술 활동을 통해 자기 경험을 공유하며, 많은 사람에게 영감을 준다. 이런 사례는 경험이 나눌수록 더 커지는 자산임을 보여준다. 경험을 나누고 공유하는 것은 창업가로서의 중요한 덕목이다.

경험은 50대에서 80대에 이르는 지식 창업가들에게 있어 최고의 자산이다. 경험이 창업의 성공을 이끄는 강력한 무기임을 잘 보여준다.

- 연륜에서 나오는 지혜와 리더십

연륜은 리더십의 핵심 자산이다. "연륜에서 나오는 지혜는 어떤 학문보다 깊고, 어떤 기술보다 강하다"는 말처럼, 오랜 경험과 나이에서 나오는 지혜는 리더십의 강력한 무기이다. 이는 단순히 나이가 많다는 의미가 아니라, 시간 속에서 얻은 깊은 통찰과 안목을 의미한다.

박민수는 연륜에서 나오는 지혜와 리더십을 잘 보여주는 인물이다. 그는 다년간의 직장생활과 다양한 경험을 통해 깊은 통찰력을 얻었고, 이를 바탕으로 창업에 성공했다. 박민수는 자신의 연륜을 활용하여 전략적인 결정을 내리고, 팀을 효과적으로 이끌었다. 그의 사례는 연륜이 리더십에 얼마나 중요한지를 명확히 보여준다.

연륜에서 나오는 지혜는 특히 중요한 순간에 빛을 발한다. 여러 번의 위기를 겪으며 지혜로운 결정을 내리는 능력을 키웠다. 경험을 통해 얻은 교훈을 바탕으로 상황을 정확히 파악하고, 최고의 선택을 할 수 있었다. 이러한 능력은 리더십을 더욱 빛나게 했다.

연륜에서 나오는 지혜는 사람을 이해하는 데 큰 도움이 된다. 다양한 사람들과의 경험을 통해 사람들의 마음을 읽고, 그들을 효과적으로 이끌 수 있었다. "사람은 경험을 통해 이해되고, 이해를 통해 이끌 수 있다"라는 신념으로 팀을 이끈다. 리더십은 사람들의 신뢰와 존경을 받았다.

연륜에서 나오는 지혜는 위기 상황에서도 빛을 발한다. 박민수는 여러 번의 위기를 겪으며 위기관리 능력을 키웠다. 그는 냉철한 판단과 신속한 결단력으로 위기를 극복하고, 팀을 안정시키는 데 성공했다. 그의 위기관리 능력은 연륜에서 나오는 지혜의 힘을 잘 보여준다.

연륜에서 나오는 지혜는 지속적인 성장과 학습을 통해 더욱 강화된다. 박민수는 끊임없이 새로운 지식을 습득하고, 자신의 역량을 강화했다. 그는 "배움에는 끝이 없다"라는 신념으로, 항상 새로운 도전을 받아들였다. 그의 지속적인 학습과 성장 의지는 그의 리더십을 더욱 강력하게 만들었다.

연륜에서 나오는 지혜와 현대 기술의 결합은 강력한 시너지를 발휘한다. 박민수는 자기 경험과 지혜를 최신 기술과 결합하여 혁신을 이끌었다. 그는 디지털 마케팅과 온라인 플랫폼을 활용하여 자신의 사업을 성장시켰다. 그의 사례는 연륜과 기술의 결합이 얼마나 중요한지를 잘 보여준다.

신지식인 공동체 1인 지식기업가의 길

- 협력과 네트워킹의 힘: 함께 성장하는 비결

한국 속담에 "백지장도 맞들면 낫다"라는 말이 있고 마찬가지로 아프리카의 속담에 "혼자 가면 빨리 가지만, 함께 가면 멀리 간다"라는 말이 있다. 이는 협력과 네트워킹이 개인의 능력을 배가시키고, 더 큰 성과를 이루는 데 필요한 새로운 기회를 제공한다는 사실을 잘 보여준다.

비즈니스 세계에서 성공의 핵심 요소로 꼽히는 협력과 네트워킹의 힘을 바라보면, 두 명 이상의 사람들이 협력할 때 발생하는 시너지 효과를 통해 개인의 한계를 넘어설 수 있다는 점을 발견할 수 있다. 그 예로, 유명한 테슬라의 창업자인 엘론 머스크의 성공 사례를 들 수 있다. 엘론 머스크는 다양한 분야의 전문가들과 협력하여 전기차, 태양광 패널, 우주 탐사 등 혁신적인 프로젝트를 성공적으로 완수하였다.

이런 성공의 비결은 바로 협력과 네트워킹에 있었다.

엘론 머스크와 그의 파트너인 JB 스트라우벨의 협력은 성공적인 협력의 모범 사례로 떠올릴 수 있다. 엘론 머스크가 테슬라의 비전을 제시하고 자금을 조달하는 동안, JB 스트라우벨은 그의 기술적 전문성을 바탕으로 전기차 배터리와 관련된 혁신을 이끌었다. 이들은 서로의 장점을 살리고 보완하여 더 큰 프로젝트를 맡게 되었다. 이 과정에서 테슬라는 전 세계적으로 인정받는 전기차 기업으로 급성장하였다.

협력과 네트워킹에서 가장 중요한 요소는 신뢰와 존중이다. 엘론 머스크는 항상 협력 파트너를 신뢰하고 존중하였다. 그로 인해 그는 강력한 네트워크를 구축하였고, 이를 통해 계속해서 새로운 기회를 창출하였다. 이러한 경험은 "신뢰와 존중은 성공적인 협력의 기초"라는 그의 신념을 명확하게 보여준다.

성공적인 협력과 네트워킹을 위해서는 지속적인 관계 유지가 필요하다. 이는 한 번의 만남으로 끝나는 것이 아니라, 지속적인 관심과 노력을 통해 관계를 유지하고 발전시키는 것이다. 엘론 머스크는 정기적으로 파트너들과 만나 지속적인 관계를 유지하였다. 이러한 노력 덕분에 그는 강력한 네트워크를 유지하고, 새로운 기회를 지속해서 창출할 수 있었다.

이렇게 협력과 네트워킹은 개인의 능력을 배가시키고, 더 큰 성과를 이루는 데 필수적인 요소이다. 이는 협력과 네트워킹을 통해 우리는 더 큰 성장을 이루고, 더욱 강력한 비즈니스를 구축할 수 있다는 사실을 보여준다. 그러므로, 우리는 협력과 네트워킹이 성공적인 비즈니스의 핵심 요소라는 것을 기억하고, 이를 잘 활용해야 한다.

- 지속적인 학습과 자기 계발: 끊임없는 성장의 동력

우리가 모두 살아가는 현대 사회는 끊임없이 변화하고 있으며, 이러한 변화에 적응하려면 지속적인 학습과 자기 계발이 필수적이다. 지식은 세상을 바꾸는 힘이며, 이를 통해 세상을 이해하고 변화에 대응할 수 있다는 것이다. "배움에는 끝이 없다"라는 말은 이러한 의미를 내포하고 있다.

스티브 잡스의 성공 이야기는 지속적인 학습과 자기 계발을 통한 성공의 대표적인 사례이다. 그는 애플을 창업하고, 끊임없이 새로운 지식을 습득하며 혁신을 끌어냈다. 그의 성공은 "지속적인 학습은 성공의 열쇠"라는 그의 신념을 명확하게 보여준다.

지속적인 학습은 변화에 적응하는 능력을 키워준다. "변화는 불가피하다. 그러므로 변화에 대비하는 최고의 방법은 끊임없이 배우는 것이다"라는 피터 드러커의 명언이 이를 잘 보여준다. 연구에 따르면, 지속적인 학습을 통해 새로운 지식과 기술을 습득한 사람들은 변화에 더 빠르게 적응하고, 더 높은 성과를 이루는 것으로 나타났다.

또한, 지속적인 학습은 실패를 극복하는 힘을 준다. 실패는 누구나 겪을 수 있지만, 이를 극복하기 위해서는 학습이 필수적이다. "실패는 성공의 어머니"라는 말처럼, 실패를 통해 얻은 배움은 성공에 중요한 역할을 하는 것이다.

지속적인 학습과 자기 계발은 또한 새로운 기회를 창출하는 데 도움을 준다. 새로운 지식을 습득하고, 이를 바탕으로 다양한 사업 기회를 발견할 수 있다는 것이다. 이러한 점에서 스티브 잡스의 사례는 학습이 새로운 기회를 창출하는 데 얼마나 중요한지를 보여준다.

한편, 지속적인 학습과 자기 계발은 네트워킹을 통해 더욱 강화될 수 있다. 다양한 사람들과의 네트워킹을 통해 새로운 지식을 얻고, 이를 사업에 적용할 수 있다. "네트워킹은 학습의 확장"이라는 말이 이를 잘 보여준다.

결국, 지속적인 학습과 자기 계발은 끊임없는 성장의 동력이다. 이를 통해 우리는 변화하는 시대에 유연하게 대응하고, 새로운 기회를 마주할 수 있다. 또한, 이를 통해 실패를 극복하고, 성공을 이룰 수 있다는 것이다.

그러므로, 우리는 모두 지속적인 학습과 자기 계발을 통해 성장의 동력을 얻어가야 한다. 이를 통해, 우리는 변화하는 세상에 유연하게 대응하고, 우리의 꿈을 이룰 수 있을 것이다.

에필로그

이 책을 마무리하며, 우리는 지난 여정의 소중한 순간들을 되새겨 봅니다. 50대부터 70대까지, 다양한 배경을 가진 열 명의 사람이 모여 함께 글을 썼던 시간은 우리 모두에게 잊을 수 없는 경험이 되었습니다. 이 책은 단순한 글 모음이 아니라, 우리들 각자의 열정과 노력이 한데 어우러져 탄생한 작품입니다.

우리는 각자의 길을 걸어왔지만, 하나의 목표를 향해 함께 달려왔습니다. 글쓰기를 처음 시도하는 초보 작가부터 늦깎이 독서 모임 참여자들까지, 그 과정에서 우리는 서로를 지지하고 격려하며, 때로는 힘든 순간도 함께 이겨냈습니다. 여러분의 다양한 경험과 생각들이 어우러져 한 권의 책으로 탄생했습니다. 이 책이 독자들에게 영감과 희망을 전할 수 있기를 진심으로 바랍니다.

"50대는 인생의 오후가 아니라, 새로운 시작이다."라는 말이 있습니다. 우리는 모두 새로운 도전을 통해 자신의 한계를 넘어섰습니다. 이 책을 통해 독자들도 새로운 도전을 두려워하지 않고, 자신의 꿈을 향해 나아가기를 바랍니다. "늦었다고 생각할 때가 가장 빠르다"라는 격언처럼, 언제든 새로운 시작은 가능합니다.

병가를 내고 쉬는 도중 처음으로 독서 모임에 참여했던 사람도 자신이 글쓰기에 소질이 없다고 생각했지만, 꾸준한 노력과 열정으로 결국이 책의 주저자로 이름을 올렸습니다. 그의 이야기는 우리 모두에게 큰 감동을 주었습니다. 이처럼, 우리 각자는 자신의 한계를 뛰어넘는 도전을 통해 성장할 수 있습니다.

또 다른 사례로는, 50대 초반의 한 참가자에 대해 말씀드리고 싶습니다. 그는 평생을 회사원으로 살았지만, 은퇴 후 새로운 도전을 하고자 이 모임에 참여했습니다. 처음에는 글쓰기에 어려움을 겪었지만, 팀원들의 지지와 격려 덕분에 결국 자신의 이야기를 완성할 수 있었습니다. 그의 이야기는 많은 이들에게 영감과 희망을 줄 수 있을 거로 생각합니다. 우리들의 글은 완성이 아니라 늦깎이들의 또 다른 시작입니다.

이 책이 독자들에게도 이러한 영감과 희망을 줄 수 있기를 진심으로 바랍니다. 우리의 이야기가 많은 이들에게 용기와 힘이 될 수 있을 것입니다. 그렇게 자신 없어 하던 여러분의 열정과 노력이 이 책 속에 고스란히 담겨 있습니다. 그러니 누구든 용기를 내어 책을 내보라고 권합니다.

끝으로, 이 책을 함께 만들어낸 모든 분께 깊은 감사의 마음을 전합니다. 여러분의 지혜와 지지가 없었다면 이 책은 완성되지 못했을 것입니다. "혼자 가면 빨리 가지만, 함께 가면 멀리 간다"라는 말처럼, 우리는 함께 협력하며 더 큰 성과를 이룰 수 있었습니다. 이 경험을 통해 더욱 빛나는 인생을 만들어 나갈 것입니다.

프랑스의 작가 앙드레 지드는 "진정한 발견은 새로운 땅을 찾는 것이 아니라, 새로운 눈으로 보는 것이다"라고 말했습니다. 우리는 이 책을 통해 새로운 눈으로 세상을 보게 되었습니다. 우리의 경험과 노력이 담긴 이 책이 독자들에게 새로운 시각을 제공하고, 더 나은 세상을 향한 길잡이가 되기를 바랍니다.

이 책은 우리의 열정, 우리의 노력, 그리고 우리의 사랑이 담긴 작품입니다. 우리의 이야기는 늦깎이 천재 작가들의 펜 아래서 더욱 빛을 발할 것입니다. 우리는 이 책을 통해 많은 이들에게 영감과 희망을 전하고자 합니다. 우리의 마음과 노력이 책 속에 담겨, 더 많은 이들에게 긍정적인 영향을 끼칠 수 있기를 바랍니다.

각자의 꿈을 향해 함께 달려온 이 시간이 평생 잊지 못할 순간들로 가득합니다. 이 모든 감동과 미소를 가슴에 품고 미래로 나아갑시다. 더 나은 세상을 만들기 위해 끊임없이 노력하며 함께 성장해 나가자고 마음에서 외칩니다. 함께 해서 정말 감사합니다.

이 책을 읽는 모든 독자가 자신만의 빛나는 인생을 개척해 나가기를 바랍니다. 우리는 이 책을 통해 많은 이들에게 영감과 희망을 전하고자 합니다. 우리의 이야기가 독자들에게도 큰 도움이 되기를 진심으로 기원합니다.

감사합니다.